夢中になる

東大世界史

15の良問に学ぶ世界の成り立ち

福村国春

光文社新書

はじめに

東大。

日本の頂点に立つ大学である。皆さんの周りにも東大生や東大卒の人はいるだろう。上司、同僚、部下、友人あるいは家族や親戚。もしかしたら、あなた自身がそうかもしれない。

東大生とか東大卒というのは、東大が日本の頂点の大学であるがゆえに、しばしば色のついた眼鏡を通して見られたり、あら探しをされてしまったりすることがある。結果、東大生（卒）は時に次のような言葉に襲われる。

「東大なのにね……（大したことないんだな）」

だから東大生は次のように自己紹介することを強いられるのだ。

「あ、はい、一応東大です（けど大したことないです）」

日本社会ではいたしかたがないかもしれないが、正直に言って同情を禁じえない。東大生は閉鎖的になりやすくなるだろうし、こういった視線をくぐり抜けるための処世術が自然と身につくであろうことも想像に難くない。ただ、東大生の頭脳をそんな風に閉じ込めたり、変形させてしまうことは、日本社会にとっては大変な損失である。

そこでだ。

本書では逆に、ひたすら東大生（卒）の頭脳をやんややんやすることにしたい。

サッカーの世界でいえば、メッシやクリスチアーノ・ロナウドはすごい、だから彼らのスーパープレー集を見て皆でわいわい盛り上がろうというわけだ。スーパープレー集を見れば、きっと彼らのすごさがわかるだろうし、サッカーの勉強にもなるだろう。本書はそういった試みである。

著者は、都内で歴史を専門とする塾を運営している。夏休みや冬休みになれば「東大論述講習」なるものを開講して学生たちを指導することになる。生徒らはわずか17歳であるが、その閃《ひらめ》きともいえる頭脳には舌を巻くばかりだ。東大の「問題」もすごいのだが、それにもまして、解ききる学生の「頭脳」がすごいのだ。本当に日本の未来に期待してしまうほどで、そのすごさを教室に閉じ込めておくことなく、ぜひ皆さんにも知ってもらいたいのである。

本書は、実際に問題を解いている生徒の頭の動きを描写するという形式をとった。生徒があることに気づく瞬間、壁を崩して前に進む瞬間、それこそが東大生（卒）の頭脳が閃光を放つ時である。推理小説の感覚で読み、一緒に考え、閃く瞬間を体感していただきたい。

もちろん、歴史の知識がなくても理解できるように構成されているのでご安心いただきたい。読むだけで、東大生（卒）のすごさを知り、同時に歴史を学ぶことができるはずだ。さらには日本の教育の未来なんぞについても想像が及んでいただければ幸いである。

では、本書の登場人物をご紹介しよう。

・宮下先生：世界史講師
・京子　　：女子高校生。映画研究部。
・純也　　：男子高校生。サッカー部。

もちろん架空の人物である。実際に生徒たちが解く様子を見れば、学生であった時のあのひたむきな感覚を思い出すことができるはずだ。

では、「夢中になる東大世界史」。宮下先生とその生徒たちの教室に、ちょっと入れてもらうことにしよう。

夢中になる東大世界史

15の良問に学ぶ世界の成り立ち

目　次

第3部　国際社会に残る問題とこれから

第1部　国際社会の成立

第1章　革命によって国家は生まれた

東大の問題は、暗記した知識を求めるだけではない。むしろ、暗記した知識をもとにして「新しいこと」に気づかせようとする。学生たちは、試験会場で歴史の新しい景色を見ることになるのだ。

ヨーロッパで生まれた「国家」の概念

講師である宮下はプリントを配る前、生徒たちに向かって東大の問題について話し始めた。

「東大の問題は常に『国家』を主題にしています。どのように国家が誕生して、国家と国家が関係を結ぶ社会、すなわち国際社会が形成され、そしてその社会がどのような問題に直面し、どのように問題の解決にあたったのか、常に東大はそういった視点で問いを立てます」

これは東大がもともと官僚養成学校であったことが大きいのかもしれない。

「現在の国家、つまり主権国家は、14〜16世紀の絶対主義時代に形成され始め、17〜18世紀の市民革命によって現在の形を整えます。主権国家の発展段階たる国民国家（民族国家）です。当たり前のようにある今の『国家』は、古代からあったわけではありません。そして、実は我々がつくりだしたものでもありません。主権国家は、近代に入って以降、ヨーロッパによって、つまり外国によってつくりあげられたものなのです」

受験を控える生徒たち。彼らは真剣に宮下の話に聞き入っていた。

「日本は島国ですね。最初から領域がだいたい決まっていたし、他者と頻繁に触れ合ってきたわけでもありません。だから、国家そのもの、そして国際社会というものに対して意識が希薄なところがあります。だからこそです。『国家』の発展の歴史を知ることは非常に重要なことです。東大の問題は、それらを知るうえで役立つでしょう」

もちろん、信長の天下布武があって、秀吉を経て家康による天下統一、さらに黒船来航と明治維新があったわけだが、「国家」の概念は、結局のところは輸入されたものなのだ。

「では皆さん、『国家』の起源といえる、市民革命の問題からやっていきましょうか」

宮下は問題の概要を伝えると、プリントを配布していった。

問題（１９８８年）

欧米において近代市民社会が形成されるに当たり、17世紀から19世紀初期にかけて、さまざまな変革が生じたが、それらの変革の様相は地域によってそれぞれ異なっていた。そこで、イギリス、アメリカ、フランス、プロイセン（プロシア）の四つについて、以下の（A）、（B）の設問に、それぞれ10行以内で答えよ。解答は冒頭に（A）、（B）の符号を付し、解答用紙（イ）の欄に記入せよ。

（A）イギリス革命（ピューリタン革命および名誉革命）とフランス革命に関し、革命を引き起こした原因と、革命がめざした目標とについて両革命を比較し、それぞれの革命の特色を述べよ。さらに、19世紀初頭のプロイセンの改革の特色と思われる点を指摘せよ。

（B）アメリカ独立革命に関し、ヨーロッパにおける諸変革との比較を念頭において、アメリカの場合の特色と思われる点を述べよ。

（注）解答において、イギリス、アメリカ、フランス、プロイセンを、それぞれ、英、米、仏、普と表記してよい。

※ 文中の傍線は筆者の判断で重要と思われるところに付した。なお、1行は30字。

革命には国柄が見え隠れする

宮下は、生徒にまず「構成メモ」を書かせてから原稿用紙に文章を書かせることにしている。構想段階から間違っていたら文章にしても意味がないからだ。宮下は生徒がひと通りメモを書き上げたのを確認して、問題の解説を始めた。

「主権国家は市民革命によって現在の形を整えます（国民国家・民族国家）。ですからイギリス、アメリカ、フランスの市民革命を比較することは、国家としての起源を比較することを意味します。建国というのは起業のようなものです。起業の際に重要なのは理念ですから、国家の起源を比較するということは、それぞれの国家の理念、すなわち『国柄』を比較するようなものです。イギリス、アメリカ、フランスにはどのような『国柄』の違いがあるのでしょう」

生徒たちは顔を上げた。このテーマは現在にも直結するのでわかりやすい。ゆえに興味をもてるものなのだろう。

「さて、皆さんの構成メモを見てみると、まだ十分でない人が多いようですね。では各国の革命について振り返るとともに、比較をして構成メモを完成させていきましょう。イギリスの革命から振り返ってみましょうか」

イギリスの原型

「ヨーロッパ諸国の原型は中世にありましたね」

ヨーロッパにおける中世はゲルマン民族の侵入から始まる（375年）。5世紀、ゲルマン民族の一派であるアングロ・サクソン人は、大陸から海を越えてブリテン島の一部を征服して建国。これが「アングロの土地」を意味する「イングランド」の起源である。一方、先住のケルト人は北へ西へと逃れていった。それがブリテン島の北部にあるスコットランドであり、同じく西部のウェールズにつながっていく（図表1－1）。

11世紀、同じように大陸のノルマン人がアングロ・サクソン人のイングランドを征服（1066年、ノルマン征服）、ノルマン朝が成立した。一般に「征服」によって成立した国家は王権が強大になる。被征服民を抑え込む必要があるからだ。ノルマン朝も王権の強い王国として成立した。なお、ノルマン人はアングロ・サクソン人に徐々に同化していったため、現在では、イングランドはアングロ・サクソン人のイメージで語られる。

「現在のイギリスを『イギリス』として一枚岩でとらえるのは、かなり乱暴なとらえかたです。イギリスの正式名称は『大ブリテン、および北アイルランド連合王国』ですね。イギリスはイングランドを中心に、スコットランドやウェールズ、さらには北アイルランドと連合して成り立っています。イングランドはアングロ・サクソン人を中心とした国ですが、その他は皆ケルト人が中心の国です。イギリスはそれらが連合した国家になります。我々がイギリスと呼ぶ場合、ロンドンやマンチェスター、リバプールなどの都市を含むイングランドを指していることが多いですが、イギリス＝イングランドではないのです」

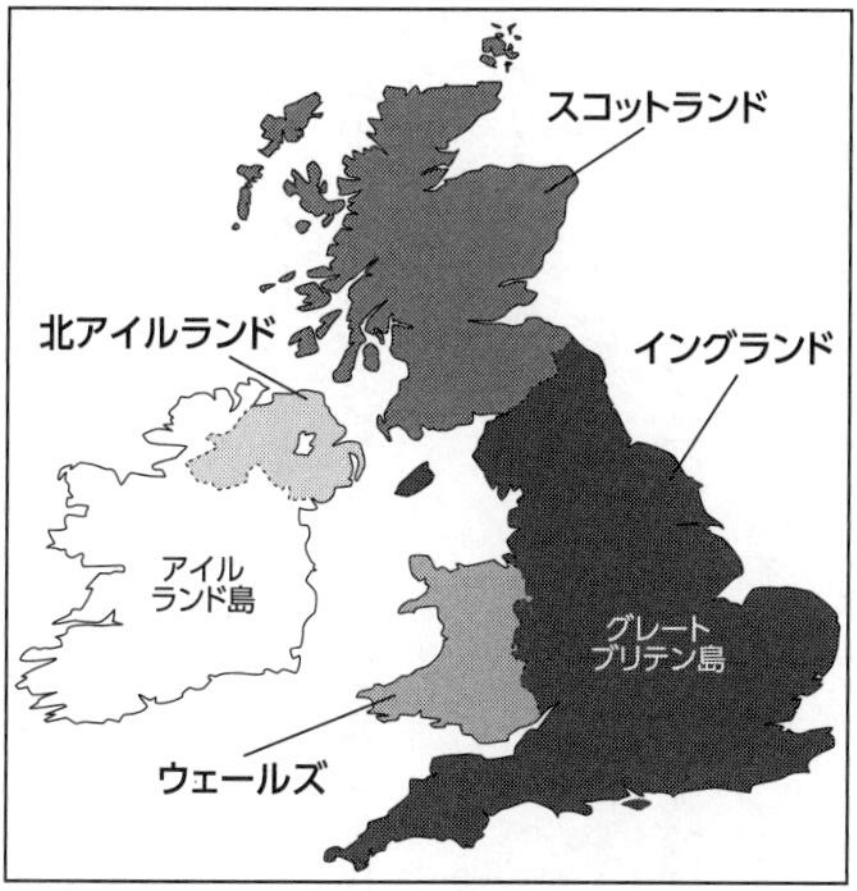

図表1-1　イギリスを構成する国々

　生徒の１人である純也はなんとなく理解できた。というのも、純也はサッカー部に所属していて、ヨーロッパのサッカーをよく見ていた。イングランドには有名なプレミアリーグがあり、２０１７年にはレスターというクラブで岡崎慎司選手が優勝を経験している。２０２０年にはリバプールという世界でも最高峰のクラブで南野拓実選手がリーグ優勝を経験した。一方で、スコットランドのリーグでは、かつて中村俊輔選手が優勝を経験している。同じイギリス内でも、イングランドとスコットランドではリーグが異なるのである。これはワールドカップでも同じだ。ワールドカップは国家単位で試合が行われて優勝を争うが、「イギリス」というナショナルチームは存在しない。「イングランド」や「スコットランド」という国家単位で参加するのである。

イギリスの革命

13世紀、「王権が強大」という性格をもつイングランドでは、国王の失政が目立ち始めた。王権が強大なだけに、当然ながら失政はより迷惑なものとなる。これに対して貴族たちは異議の申し立てを始めた。その結果、イギリスには、「国王といえども規則に則《のっと》ること・意見を聞くこと」という「暗黙の了解」が生まれたのであった。

「イギリスは……日本もそうですが、島国ですからね。外部との接触が希薄になると、言い換えれば、異なる価値観との衝突がないと、経験から保守的にならざるをえません。『これこれはこうするものだ』、といった具合にです。イギリスではそういった『暗黙の了解』が生まれたんです」

そこから４００年ほど時が流れ、市民革命が起こった。イギリス革命である。絶対主義時代にあたる17世紀、有名なエリザベス女王が死ぬと王家が断絶、新たな王朝が生まれた（ステュアート朝）。これは、スコットランド王をイングランド王に迎えることで成立した王朝である。要するに外国から王を迎えたということだ。外国の人はイングランドの「暗黙の了解」など知らない。

王は他国と同様の絶対王政を強力に推進して勝手な政治を展開、「暗黙の了解」を踏み倒し始めた。こうした流れを背景に始まった国王と議会の衝突がイギリス革命（ピューリタン革命と名誉革命の総称）である。国王に対して、議会はイギリスの伝統的な「暗黙の了解」に従うことを求めたのだ。

図表1-2　オリバー・クロムウェル

ピューリタン革命ではクロムウェル（図表１-２）らが活躍、名誉革命では権利の宣言を王に認めさせた（１６８９年）。政治は「国王といえども規則に則ること・意見を聞くこと」を認めさせたのである。イギリス革命の目標は「暗黙の了解」の回復なのだ。そして、これが世界に普及する近代政治の二本柱である「立憲政治（政治は規則に則ること）」と「議会政治（政治は意見を聞くこと）」につながっていく。

「イギリス革命は歴史上初の市民革命でした。この名誉革命が完結した1689年という年、新たに英仏植民地戦争（第2次英仏百年戦争）が勃発します。これはアメリカ独立革命の導火線になりました。では、アメリカの革命を振り返りましょう」

アメリカの原型

アメリカ大陸の発見は、周知の通りコロンブスによって果たされた（1492年）。彼はイタリア人だが、彼を支援したのはスペインである。スペインは中南米に進出すると、先住民のインディオを労働力として酷使していった。先住民の人口が激減すると、今度はアフリカから連れてきた黒人を奴隷として労働を強制した。

中南米にスペインが進出したのに対して、北米にはイギリスやフランスが進出した。イギリスも先住民のネイティブアメリカンを排除しつつ、アフリカから連れてきた黒人を奴隷として酷使した。こうして、アメリカ大陸では先住民と白人、黒人が混在し、それらの混血も生まれ、多様な人種で構成される地域となった。

「２０２０年、アメリカで黒人に対する人種差別が問題となって暴動が起こりましたね。これを受けて、イギリスのブリストルにある奴隷商人の銅像が引き倒され、河に投げ捨てられる事件が起こったのをニュースで見ていた人もいるでしょう。これらには、このような歴史的な背景があります」

純也と同じく生徒の１人である京子はうんうんと頷《うなず》いていた。京子はよくニュースを見ていたのである。

やがて、北米でイギリスとフランスの勢力争いが激化すると、名誉革命が完結した１６８９年、英仏植民地戦争が勃発し、４度にわたって戦争を繰り広げることになった。イギリスが勝利すると、北米はイギリスが優位を獲得した（１７６３年）。

しかし、１００年にもわたる英仏植民地戦争はイギリスの財政を圧迫した。これを立て直すべく、宗主国のイギリスは、北米、すなわち植民地アメリカへの搾取《さくしゅ》を強化、宗主国と植民地の対立が表面化し始めた（図表１-３）。こうして、自由を獲得する戦いとしてアメリカ独立革命が始まることになる。

図表1-3　アメリカの原型（1776年頃）

図表中の最も濃い塗りつぶし部分はイギリスに支配されていた13の植民地州を指す。

アメリカの革命

アメリカの独立には多くのヨーロッパ諸国が関わった。覇権を握るイギリスの足を引っ張るべくフランスがアメリカを支援、ロシアを中心とした東欧の国々もアメリカを間接的に支援した。結果、アメリカの独立は達成され、アメリカ合衆国憲法には、自由・平等などの基本的人権や人民主権が明記された。

独立の担い手となったのは、移住していたイギリス人たちである。現在のアメリカ社会でも、白人（White）でアングロ・サクソン系（Anglo-Saxons）、プロテスタント（Protestant）のＷＡＳＰが中心となっているが、それは彼らの先祖たるイギリス人が独立の中心になったためである。アメリカ合衆国憲法には諸々の権利が明記されたが、ネイティブアメリカンや黒人の権利については矛盾を抱えている。

「こうしてアメリカでは１７８９年に初代大統領にワシントン（図表１-４）が就任しました。では次の話に移りましょう。舞台はフランスです。ワシントンが就任した年、海を越えたフランスでも革命が勃発します」

フランスの原型

フランスの起源も、イギリスと同様に中世にさかのぼる。５世紀後半、ゲルマン民族の侵入のなかでフランク王国が建国された。９世紀に入ると同国は分裂し、そこから生まれた東フランク王国がドイツの、そして西フランク王国がフランスの原型となった（図表１-５）。

図表1-4　ジョージ・ワシントン

「フランスは大陸の国家です。イギリスとは異なって外部との接触が頻繁にあります。イギリスのように、『これこれはこうするものだ』といった『暗黙の了解』などは育たず、様々な価値観との衝突を繰り返すなかで、『これはそもそもどうあるべきなの

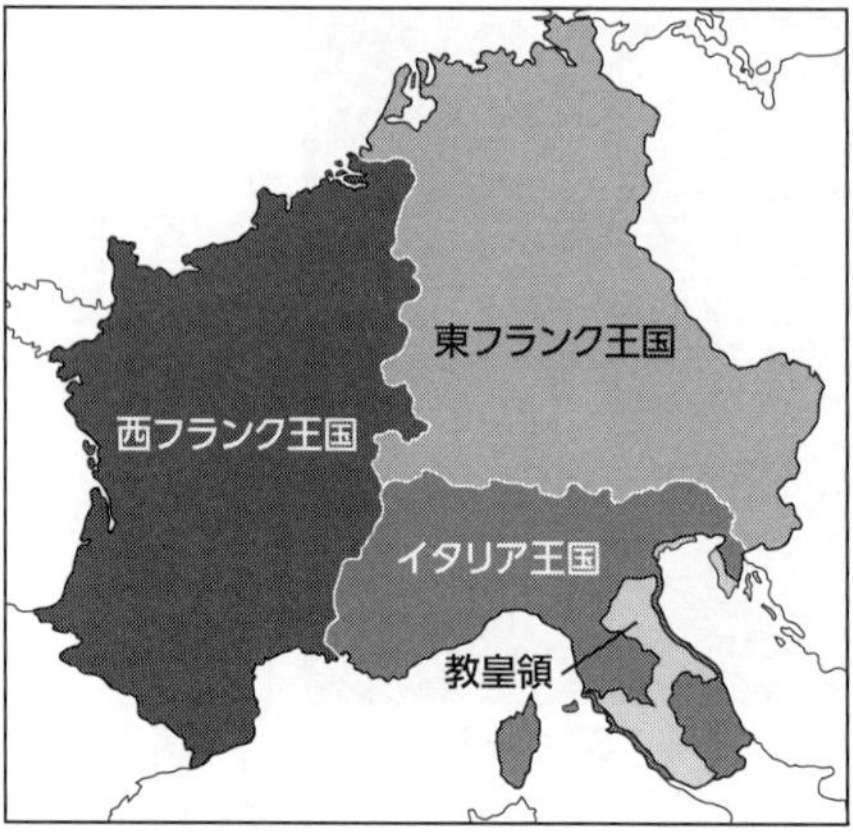

図表1-5　フランスの原型（870年頃）

か』という思考が定着します。イギリス革命では『イギリスという国家はこういうものだ』と叫ばれたわけですが、フランス革命では『フランスという国家はそもそもどうあるべきなのか』が問われたのです」

フランスの革命

絶対主義時代にあたる17世紀、フランスのブルボン朝の国王であるルイ14世は戦争にあけくれた。さらにルイ15世も戦争によって財政を浪費。そして、18世紀のルイ16世の時代、先のアメリカ独立革命に参戦したことで、ついにフランスの財政は破綻した。問題は誰がそのツケを払うのか、であった。

当時のフランス社会は、免税特権をもつ特権階級が富のほとんどを独占しておきながら、一般市民のみが納税義務を負うという矛盾を抱えていた。財政問題のしわ寄せが一般市民に向けられると、一般市民は体制の刷新を掲げて立ち上がった。「フランスという国家はそもそもどうあるべきなのか」を問い始めたのである。こうして長きにわたる革命はバスティーユ襲撃事件から始まった（１７８９年）。

「フランス革命のスローガンは自由・平等・博愛でした」

革命は破壊と創造である。古びた社会を破壊して新しい社会を創造する、これを暴力とともに行うのである。

破壊は簡単でも創造には困難を伴う。フランス革命では、富裕層、中流層、貧困層、全ての階級が一度は革命を主導して「フランスという国家はそもそもこうあるべきだ」として憲法を制定したが、どれもうまくはいかなかった。理念に見合う体制を樹立できないでいたのである。革命は激化の一途を辿り、国王ルイ16世や王妃マリー・アントワネットらは処刑された。一方で、絶対王政を展開する周辺諸国は、国王を処刑するおそろしい革命を抑え込もうと、革命に干渉し始めた。フランスはまさに内憂外患《ないゆうがいかん》の状況におかれたのである。

フランスを覆う革命は行く先が見えなかった。だが、ここで１人の人物が登場する。英雄、ナポレオン・ボナパルト（図表１-６）である。

英雄は国内を安定させ、ヨーロッパ諸国の干渉を撃退した。さらに、絶対王政によって自

図表1-6　ナポレオン・ボナパルト

由・平等が抑圧されている周辺諸国へと進出すると、各国に自由と平等の概念を輸出して人民を抑圧から解放、ヨーロッパを制圧していった。国内には安定を、国外には解放をもたらしたのである。ナポレオンの進軍はショパンの「英雄ポロネーズ」が響くがごとくであった。

だが、英雄は革命の精神を裏切った。周辺諸国から通商の自由を奪い、皇帝に即位することで平等を否定、さらに妻ジョゼフィーヌとの離婚は愛情の放棄を意味した。ここに英雄の素顔が見え始める。彼は、フランスに対しては独裁者であり、ヨーロッパ諸国に対しては侵略者だったのである。

ナポレオンの支配を受けたプロイセンでは、支配に対する反発から改革が行われた。これは開明的な官僚や軍人によって行われた改革であったため、市民革命が「下からの近代化」といわれるのに対して、「上からの近代化」といわれる。

こうした周辺諸国からの反発を受けてナポレオンの権威は崩れた。大敗を喫《きっ》した英雄はセントヘレナ島に流され、寂しく生涯を閉じることになる。最後の言葉は「フランス」「軍隊」、そして「ジョゼフィーヌ」であった。英雄は革命の精神を裏切ったが、愛情だけは忘れていなかったのかもしれない。

それではフランスはどうなったか。

「フランスは、自由・平等・博愛の上に立つ政府の樹立には失敗したといえます。ナポレオンが死んだ時、フランスには革命の前と同じブルボン朝が復活していました」

フランス革命はヨーロッパに大きな一石を投じたものの、それに見合う政府はつくれなかったということだ。しかし、その影響は大きく、19世紀のヨーロッパでは、フランス革命の精神をもとにした自由・平等を求める運動が吹き荒れ、大西洋の向こうでもラテンアメリカ独立運動が生起することになる。

「はい、ここまでの流れについて、皆さんの構成メモはどうでしょうか」

純也と京子は、自分で整理した構成メモを眺める。それほどズレはないようだ。だが、問題はここからである。３つの革命にはどういった違いがあるのだろうか。そこが足りていないように思われた。

比較するということ

「比較とは互いに比べ合わせることです」

何かと何かを比較する場合、比較する「対象」と比較する「側面」が重要になる。今回の場合、比較対象はイギリス、フランス、アメリカの革命で明らかだ。では比較側面はなんだろうか。

「比較側面はたいてい問題文に書いてあります。よく読んでみてください」

京子は問題文を正しく読み取っていた。比較する側面は「原因」と「目標」である。そして、一応、具体的な各国の違いは構成メモに書いてある。だが、まだ京子には越えなければならない壁があった。

「比較の問題は難しいですよ。ただ具体的なものを2つ並べただけでは比較したとはいえません。それら具体的な事象の相違を、抽象的な言葉で表現しなければいけません。例えば、こっちは寿司でこっちはペペロンチーノである、としたところで比較したことにはなりません。こっちは日本料理だがこっちはイタリア料理である、とすれば比較したことになります。いずれにせよ、抽象的に表現しなければならないので、語彙力が必要とされますね」

そう、東大は単語だけ覚えていても、知識だけ答えられても、正解には辿り着けないのだ。

「通史の授業で何度も言ったと思いますが、革命は担い手に注目しましょう。つまり対立関係ですね。革命を富裕層が担っているのと、貧困層が担っているのでは、革命の方向性が変わります。だから常に革命は担い手に注目しましょう。今回も同じです。担い手に注目すると、原因や目標の違いも自然と浮き彫りになるはずです。担い手が何に不満をもったか、これが原因です。そして、その不満を解消すること、それが目標ですね。もう一度、構成メモを見てみましょう」

「いいね」が集まるか、集まらないか

宮下の言葉を聞いて、京子は担い手を次のように整理した。

・イギリス革命　　：担い手は議会。革命は国王と議会の衝突。
・アメリカ独立革命：担い手は植民地人（商工業者）。革命は国王と植民地人の衝突。
・フランス革命　　：担い手は一般市民。革命は封建勢力と一般市民の衝突。

当然ながら、原因と目標には因果関係がある。イギリスでは、国王が「暗黙の了解」を守

らないことに議会が不満をもっていた。それが原因であり、「暗黙の了解」を守らせることが目標である。

アメリカでは、宗主国イギリスが植民地アメリカを搾取することに植民地人が不満をもっていた。それが原因であり、搾取からの脱却、言い換えれば、独立と自由・平等が保障された政府の樹立が目標である。

そしてフランスでは、封建勢力が特権をもつ体制に一般市民が不満を抱いていた。それが原因であり、体制の破壊、言い換えれば、自由・平等が保障された体制の樹立が目標である。

「目標の違いはなんでしょうか。よく見てみてください。アメリカとフランスの目標は共通していますが、イギリスだけ異なります」

それは京子にもわかった。アメリカとフランスには「自由・平等」という共通する言葉がある。イギリスは国王に「暗黙の了解」を守らせることだ。ただ、これではまだ具体的であるという領域を出ない。

「もう1つヒントを出しましょう。例えば、もし現代でも各国で同じように革命が起こって、Twitterに『フランス革命なう』とか『アメリカ独立革命なう』とツイートすると、世界各国から多くの『いいね』がもらえるはずです。けれども『イギリス革命なう』とツイートしても、少ししか『いいね』をもらえないでしょう。もっと言えば、イギリス人からしか『いいね』をもらえないはずです」

現代の身近な習慣にあわせて例えると彼らも考えやすい。宮下は問いかけてから教室を見回した。こういう時に目が合う生徒は答えがわかっている。目が合ったのは京子であった。

「普遍性があるかないか、です」

京子の答えに宮下は頷いた。アメリカとフランスが目標に掲げた「自由・平等」というのは、全ての人間に認められるべき権利（基本的人権）であり、理念に普遍性がある。しかしながら、イギリスの「暗黙の了解」は、イギリスの人々にしかわからない伝統である。理念に特殊性があるのだ。

「ここから、問題には関係ありませんが、１つ重要なことが見出せます。それは革命の『影響』についてです。３つの革命はそれぞれ影響の度合いが異なります」

革命が広がる要因

宮下の言葉を受けて、京子はそれぞれの革命の影響についても整理してみた。

・イギリス革命：周辺諸国やその後の運動にも大きな影響はない。
・アメリカ独立革命：フランス革命、ラテンアメリカ独立運動に影響。
・フランス革命：19世紀ヨーロッパの自由主義運動、ラテンアメリカの独立運動に影響。

見ての通り、イギリス革命は、特に何かに影響を与えたわけではないが、アメリカとフランスの革命は何かに影響を与えている。

「影響について比べてみましたか。整理すると、アメリカとフランスは影響が大きく、イギリスは影響が小さいことがわかります。では、なぜそのような違いが生まれたのでしょう」

宮下は生徒に問いかける。が、京子や純也をはじめ、閃いた顔の生徒は一人もいなかった。

「では、やっぱりTwitterで考えましょう。たくさん『いいね』がもらえたり、『リプ（返信のこと）』があったりするものって、どんなツイートでしょうか」

生徒たちは自分のTwitterアカウントで起きていることを想像した。感動したりおもしろかったりするツイートにはたくさんの好意的な反応がある。しばらくして宮下は言った。

「共感してもらえるもの……じゃないでしょうか」

京子は宮下の言わんとしていることを理解した。理念の違いが影響の違いを生んでいるのだ。何かの行動を起こす際、その影響が大きくなるためには２つの観点が重要である。共感と反発、特に共感だ。それぞれの革命の目標に共感できるのかどうか、それが関わるものの数を決める。これはビジネスや社会活動でも同じだ。

「アメリカもフランスも、革命の理念は、人間であれば誰にでも関係してくるものです（普遍性）。当然、ともに多くの国を巻き込み、国際戦争に発展しました。だから２つの革命の影響力は大きいものとなりました。一方、イギリス革命の理念にはイギリス人だけしか共感できません（特殊性）。あと、イギリスは島国ですから、そういった地理的要因も加わって、イギリス革命に対して支援したり、逆に干渉したりした国家はありませんでした。したがって、イギリスの革命は内乱にとどまり、影響力の小さいものとなりました」

影響力の大きいアメリカとフランスの革命の間にも違いがある。アメリカはヨーロッパに対しては海を隔てている。地理という観点でいえば影響は限定されそうだが、代わりにアメリカには「独立」というもう１つの理念がある。ゆえに、同じアメリカ大陸のラテンアメリカにも影響を与えることになった。一方、フランスには「独立」というもう１つの理念はないが、地理という観点でいえばヨーロッパの中心で起きている。ゆえに、ヨーロッパ諸国に影響を与えることになった。

「皆さんがもし、何かのビジネスや社会活動のリーダーになったとして、そのプロジェクトを影響力のあるものにしたいのであれば、共感を得られる普遍性のある理念を掲げ、多くの人を巻き込むことが重要かもしれませんね。反発をもってして影響を広げるのも手の1つではあります。炎上商法がそうでしょう。実際に、フランス革命の理念は周辺の国王にとっては受け入れがたく反発を生むものでした。だから多くの国から干渉されましたね。それも影響を広げることになりました。ただ、正攻法でいくなら、やはり共感を得られる理念でしょう」

　歴史学は人文学である。宮下は歴史学に実用性を求めるスタンスはあまり好きではなかった。しかし、生徒は「今役に立つこと」を求める傾向が強い。こうしたことに結びつけると、生徒は学ぶ意義を実感してくれるものだ。

「では、ここではさらに踏み込んで、アメリカとフランスの『自由・平等』のニュアンスについても考察してみましょう。そもそも、実は自由と平等は矛盾します。自由を追求すれば平等は確保できませんし、平等を追求すれば自由は制限されるからです」

　生徒たちは、納得した表情を見せる。自由・平等はバランスが問題になるのである。

「アメリカの革命は、海を隔てたイギリスからの干渉を排除すること、そして独立することが目的でした。そこにはアメリカの特殊な事情があり、敵がいます。だから、アメリカの『自由・平等』は少し自由に寄っていて『互いの違いを認めて尊重する』といったニュアンスになります。違いを強調することを問題にしません。けれども、一方のフランスの革命は、ゼロから人間を問い、国家を問い、理想を実現することが目的でした。そこには、フランスの事情というよりも、人間の普遍の権利を問う姿勢があります。だから、フランスの『自由・平等』は少し平等に寄っていて、『そもそも互いに違いはない』といったニュアンスになります。違いを強調することは問題になってしまうのです」

ざっくりとした論ではあるが、現在のアメリカやフランスの社会を眺めると、そういったニュアンスを汲み取れることが多いのではないだろうか。

他国の歴史を知るということ

「これまでの話を総合すると、イギリス、アメリカ、フランスの国家としての『国柄』が明らかになりますね。イギリスは島国として『伝統』を守ろうとする国家です。アメリカは干渉に反発することで始まった国家であり、その後の歴史はしばらく国家の建設、つまり自立のための時代が続きます。アメリカ人にとっての自由・平等のニュアンスは、干渉されず尊重されることであり、そして自立が求められる社会になっていきます。こうしたアメリカのその後の歴史については次の問題で扱いましょうか。一方、フランスは何度も何度も自国を問い直した末に成立した国家です。そこまでして建設された国家であれば、歴史と文化に誇りをもつのも当然かもしれません」

生徒はなるほどという顔をしている。だが、ここで宮下は1つの問いを投げかけた。

「では、日本はどうでしょうか？」

途端に生徒の表情は困惑に変わった。予想しなかった問いのようだ。

「私たちとは異なる人々の歴史や文化を目の当たりにすれば、『我々』を意識せざるをえません。世界を学ぶというのは日本について問うことであり、学ぶことでもあるんですよ」

宮下は解説を終えると原稿用紙を配り始めた。

「では、文章にしてみましょうか」

京子は宮下の解説をもとに修正した構成メモ（図表1-7）を見ながら、原稿用紙に文章を書き上げていった。

図表1－7　各国の革命の違い（京子の構成メモ）

	イギリス	フランス
原因	国王 VS 議会 ・ステュアート朝の国王による議会を無視した政治への反発	封建勢力 VS 一般市民 ・財政問題 ・旧制度で認められた免税特権への反発
担い手	議会	市民
目標	王権に対する議会の優越 ・イギリス人固有のコモン・ローの回復を目指した ・最終的に立憲君主政を樹立 ⇒理念に特殊性がある	自由・平等が保障された政府の樹立 ・人間一般の解放を目指した ・立憲君主政を経て共和政を樹立 ⇒理念に普遍性がある
国際関係	内乱にとどまる	国際戦争に発展 ・干渉は抑圧
影響	影響は小さい	影響は大きい

	アメリカ
原因	国王 VS 商工業者（宗主国 VS 植民地） ・宗主国イギリスによる植民地アメリカへの重商主義政策に対する反発
担い手	商工業者（植民地）
目標	独立 自由・平等が保障された政府の樹立 ・市民革命であるとともに独立戦争の性格をもつ ⇒理念に普遍性がある
国際関係	国際戦争に発展 ・初期はイギリス帝国内の内乱 ・外国の参戦により国際戦争となる ・干渉は抑圧ではなく支援
影響	影響は大きい ・フランス革命 ・19世紀ヨーロッパの自由主義運動 ・ラテンアメリカ諸国の独立運動

解答

（A）　英革命の原因はステュアート朝の国王による議会を無視した専制政治であった。目標は王権に対する議会の優越を規定することであり、立憲君主政の樹立に至った。これは英人固有のコモン・ローの回復を目指すもので、理念に特殊性があった。仏革命の原因は財政問題に端を発した、旧制度で認められた免税特権に対する一般市民の反発であった。目標は自由・平等の上に立つ政府の樹立であり、立憲君主政を経て共和政の樹立に至った。これは人間一般の解放を目指すもので、理念に普遍性があった。普改革の原因はナポレオンの支配であり、目標は支配からの解放である。担い手は開明的な官僚・軍人であり、「上からの近代化」という性格をもった。（300字）

（B）　米革命の原因は、英重商主義政策への反発であった。目標は独立と自由・平等の上に立つ政府の樹立であり、共和国の樹立に至った。仏革命と同様に理念に普遍性があったが、市民革命のみならず独立戦争という性格が含んでいたところに違いがあった。英革命が内乱にとどまり、仏革命が国際戦争に発展したのに対し、米革命も当初は英帝国の内乱であったが外国の参戦によって国際戦争へと発展した。だが、仏革命と異なり外国の干渉は抑圧ではなく支援であった。英革命の影響が小さいものにとどまったのに対し、米革命は仏革命と19世紀の自由主義運動に影響を与え、さらにラテンアメリカ諸国の独立運動にも波及して、影響は大きなものになった。（３００字）

第2章　アメリカとラテンアメリカ諸国の差異

アメリカ大陸にも生まれた国家

東大の問題は、暗記した知識をもとにして「新しいこと」に気づかせようとする、ということは既に伝えた。この問題も、アメリカ大陸諸国について、学生たちに歴史の新しい景色を見せる問題である。

「東大の問題は常に『国家』を主題にしていると言いましたね。前の問題では、欧米がいかにして国家をつくりあげたかを確認しました。その『国家』という概念は、ヨーロッパの人々によって世界に広められていきます。ヨーロッパ諸国が世界を征服して、その支配から独立していくなかで、『国家』が各地に樹立されていくことになります。先の問題で扱ったアメリカも、イギリスからの独立という形で『国家』を築き上げましたね。今回は、アメリカが独立したのちに、『国家』としてどのような道を歩んだのか、そして、スペインに支配されていたラテンアメリカがどのように独立し、『国家』としてどのような道を歩んだのか、を考察する問題です。結論として、両者の対照的な性格が導き出されるでしょう」

宮下は問題の概要を伝え、プリントを配布していった。

問題（1998年）

アメリカ合衆国とラテンアメリカ諸国は、ともにヨーロッパ諸国の植民地として出発した。しかし、独立後は、イギリス産業革命などの影響の下で対照的な道を歩む事となった。例えば、アメリカ合衆国の場合には、急速な工業化を実現していったのに対して、ラテンアメリカ諸国の場合には、長く原材料の輸出国の地位にとどまってきた。そしてラテンアメリカ諸国は、政治的にも経済的にもアメリカ合衆国の強い影響下におかれることになったが、その特徴は、現在のラテンアメリカ諸国のあり方にも大きく影響を及ぼしている。

そこで、18世紀から19世紀末までのアメリカ合衆国とラテンアメリカ諸国の歴史について、その対照的な性格に留意しつつ、ヨーロッパ諸国との関係や、合衆国とラテンアメリカ諸国との相互関係のあり方の変化を中心に、下に示した語句を一度は用いて、解答欄（イ）に15行以内で記せ。なお、使用した語句に必ず下線を付せ。

プランテーション　パン＝アメリカ会議　南北戦争　ウィーン体制
自由貿易主義　モンロー宣言　クリオーリョ　米英戦争

※文中の傍線は筆者の判断で重要と思われるところに付した。なお、1行は30字。

植民地化された経験のない日本

京子はプリントを受け取ると、すぐに構成メモをまとめたが、できたとは言いがたかった。空白がちらほらとある。考えあぐねていると、宮下の解説が始まった。

「さて、構成メモの叩き台はできましたか？　まだ十分ではないと思いますので、解説をもとに完成させましょう。ところで、日本は植民地化された経験がありません。概して人間は自分を他者に投影しようとするものなので、実は、日本以外のほぼ全ての国が植民地化された経験をもっているということを私たちは忘れがちです。現在の多様な世界を理解するうえで、ヨーロッパ諸国が世界をどのように征服して、そしてその支配から各地がどのように独立を勝ち取って、どのように国家を樹立していったかを理解することは、非常に重要といえます」

続けて宮下は生徒にこの問題の注目ポイントを伝える。

「最初に確認しておきますが、ヨーロッパ諸国に植民地化されたのは、アジア・アフリカだけではありませんよ。アメリカ大陸も含まれます」

確かに、京子が「植民地化」といわれて思い浮かべたのはアジア・アフリカだった。忘れがちだが、アメリカ大陸もアジア・アフリカに先行して植民地化され、かつ独立している。

「アメリカ大陸諸国とアジア・アフリカ諸国の間では、独立の時期だけではなく、独立の『担い手』という意味でも重要な差異があります。わかりますか？」

アメリカの独立は、現地に移住したイギリス人が担い手で、ラテンアメリカ諸国は現地に移住したスペイン人が担い手、つまりどちらも白人である。だが、アジア・アフリカの独立の担い手は白人ではない。

「ヨーロッパ人、つまり移住した白人か現地住民かの違いです」

京子は宮下の問いかけにすぐさま答える。宮下はうんうんと頷いた。さっと答えが出るだけでもすごいことだ。

「そうですね。アメリカ大陸諸国は18世紀後半から19世紀前半にかけて、移住した白人たちが独立を牽引《けんいん》しました。とはいえ、このアメリカ大陸諸国のなかでも、北米のアメリカと中南米のラテンアメリカ諸国とでは、また大きな違いがあります。今日はこのアメリカ大陸諸国に目を向けてみましょう」

アメリカ社会の形成

「ではアメリカ大陸の発見から振り返ります」

第１章で確認したように、アメリカ大陸は15世紀末にスペインによって発見された（１４９２年）。しかし、現在のアメリカ、すなわち北米は主にイギリスやフランスが進出、英仏植民地戦争を経て、イギリスが多くを領有するに至った。

現地を構成したのは、こうして移住した白人と、労働のためにアフリカから連れてこられた黒人、そして先住のネイティブアメリカンであった。のちに移住した白人たちは、本国からの搾取に反発して独立革命を展開、アメリカを建国した（１７７６年）。結果、アメリカは英語が公用になり、ＷＡＳＰ（ホワイト、アングロ・サクソン、プロテスタント）が中心の社会になったのである。

先述のように、ワシントンが大統領に就任した年、ヨーロッパではフランス革命が勃発した（１７８９年）。

革命のなかで、フランスはイギリスと対立。ナポレオンはイギリスとヨーロッパ大陸諸国の間を封鎖して、イギリスに経済的打撃を与えた。これに対抗して、イギリスはフランスとアメリカとの間を封鎖した。中立であったアメリカはこれに反発。再びイギリスと衝突することになり、第２次独立戦争といわれた米英戦争が起こった（１８１２年）。アメリカは政治的には独立したものの、実は経済的にはイギリスに依存していた。だが、米英戦争の結果、経済的にもイギリスから自立することに成功した。なお、この時の戦いを歌った詩は現在のアメリカの国歌になった。そして、戦争で大統領官邸が焼かれ、それを再建したものが現在のホワイトハウスである。

「アメリカは独立したといっても、領土は東部のみで西部には広大な未開拓地が広がっていました。アメリカは、19世紀の１００年間をまるまるフロンティア開拓に費やします。『独立』は終わっても『建国』はまだ終わっていなかったんですね。さて、そのフロンティア開拓を進めるにあたってアメリカがヨーロッパに対して発表したのが、アメリカ大陸とヨーロッパの相互不干渉を主張するモンロー宣言（１８２３年）です。そもそも東に位置するイギリスからの干渉が嫌で独立したわけですし、フロンティア開拓は西に向かう運動ですから、東から、つまり背後から干渉されることを防ぐという目的がありました」

白人は先住のネイティブアメリカンたちを辺境へ追いやっていった。先住のネイティブアメリカンは支配する対象ではなく、攻撃と排除の対象だったのである。

「白人が先住のネイティブアメリカンを支配するのではなく辺境へ追いやったのには理由があります。それはネイティブアメリカンの経済活動にありました。わかりますか？」

京子は考え込んだ。彼らの経済活動の特徴ゆえに支配されるのではなく追いやられた、とはどういうことなのか。他の生徒も悩んでいるなか、宮下は続けて問いを投げかける。

「ネイティブアメリカンといわれて、どんなイメージが思い浮かびますか？」

京子が真っ先に思いついたのは『バック・トゥ・ザ・フューチャーＰＡＲＴ３』だった。京子は映画研究部に所属している。映画のＰＡＲＴ３では、西部開拓時代にタイムスリップした主人公が、馬に乗ったネイティブアメリカンに追い掛け回されていた。

「ネイティブアメリカンって馬に乗っていませんか？」

京子は頷いた。

「ネイティブアメリカンは移動しながら生活し、狩猟と採集で生計を立てた狩猟民族です。

だから支配ではなく、辺境に追いやることになったんです」

　こうして、アメリカはネイティブアメリカンを排斥しながら１００年にわたる西部開拓の間に、フロンティア・スピリットを培《つちか》っていくことになる。実力主義と自己責任の精神である。これは銃とともにアメリカ社会を支えるものとなっている。

「やがて、アメリカの領土が広がっていくと、南北の間で差異が生まれてきました。北部では主に商業や工業が発展していたのに対して、南部は綿花プランテーションに基づく農業が中心です。それらは様々な点において違いを生みました。北部は商業や工業を産業としていたので保護貿易を求め、市場拡大の観点から奴隷の解放を主張しました。けれども、南部は農業が中心だったので自由貿易を求め、奴隷労働に頼っていたため、解放には反対しました。こうして南北が衝突することになります。それが１８６１年から１８６５年の間に起きた南北戦争でした」

図表2-1　エイブラハム・リンカーン

　戦争は、リンカーン（図表２‐１）の率いる北部の勝利で決着。奴隷は解放され、アメリカは分裂を回避して統一に成功した。戦後、北部の商工業は飛

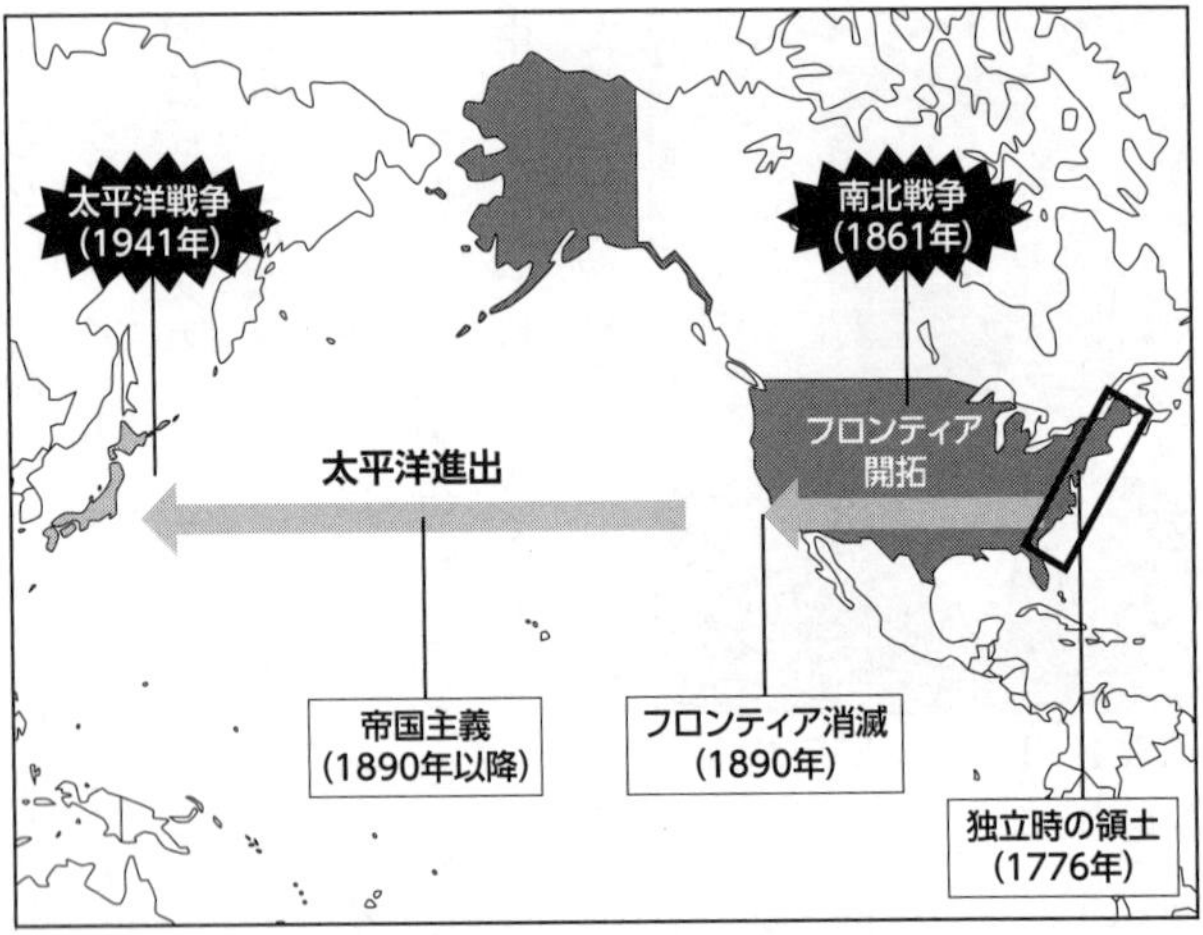

図表2-2　独立から常に西へと進出したアメリカ

躍的に発展し、１８７０年代にはドイツとともに第２次産業革命の担い手となって工業国へと成長した。フロンティアの消滅が宣言されたのは１８９０年である。再度確認するが、19世紀の１００年間、アメリカは国内の問題に忙殺されていたといえる。

外へ向かうアメリカ

「さて、その後、アメリカはモンロー主義を維持したまま、そして進出のベクトルはそのままに、西方の太平洋へと進出していきました。国内の問題に忙殺されていたぶん、対外進出は英仏に比べて遅れることになります」

　アメリカはスペイン領であったグアムを獲得（米西戦争）、さらにハワイ、フィリピンを領有していった（米比戦争）。これらの地域で英語が公用とされているのは周知の通りである。そして、極東までやってきたアメリカは、対外進出に成功しつつあった日本と対立するのである。それは太平洋戦争へと発展していった（図表2‐2）。

今でこそアメリカは世界のリーダーという印象が強いが、歴史を振り返ると、実は第2次世界大戦が終わるまではモンロー主義を基礎とした孤立主義の一匹狼だったといえる。そして、アメリカは独立直後に始まるフロンティア開拓以来、常に西を見てきたのだ。こうした文脈のなかで、現在のアメリカの極東政策も理解されるべきといえよう。

「一方で、ラテンアメリカは異なった道を歩みました」

ラテンアメリカ社会の形成

アメリカ大陸は15世紀末にスペインによって発見され、スペインは主に中南米、すなわちラテンアメリカへと進出、有名なインカ文明などを破壊して征服していった。

「スペイン人はラテン系です。だからメキシコ以南の中南米はラテンアメリカと呼ばれることになるんですね」

現地では銀が豊富に採掘できたため、先住のインディオを労働力として酷使した。結果、インディオの人口が激減したため、イギリスと同様にアフリカから黒人を連れてきて奴隷として労働させた。現地を構成したのは、やはり移住した白人と、労働のために連れてこられた黒人、そして先住のインディオであった。アメリカは人種・民族の坩堝《るつぼ》というイメージはあるが、実はラテンアメリカ諸国も同様で、要するにアメリカ大陸諸国は、どこも人種・民族の多様な地域なのである。

　ここで、白人と先住のインディオとの関係において、アメリカとラテンアメリカでは違いが出てくる。先ほど指摘したように、アメリカでは、白人がネイティブアメリカンたちを辺境へ追いやった。彼らが移動しながら生活し、狩猟と採集で生計を立てていたからである。けれども、ラテンアメリカでは、白人は先住のインディオたちを内部に包摂《ほうせつ》して支配していった。

「白人が先住のインディオを辺境へ追いやるのではなく、取り込んで支配していったのには、やっぱり理由があります。それは同じく経済活動にありました。ではラテンアメリカのインカ帝国などではどのような経済活動が行われていましたか？」

　京子はテレビ番組を見て、映画館で必ず食べるポップコーンがインカ帝国の時代から作られていたということを知っていた。

「トウモロコシを中心とする農業ですよね？」

受験においても、アメリカ大陸原産の作物として、トウモロコシやジャガイモがあったことは覚えておかなければいけない知識だ。

「そうですね。インディオは定住して農耕で生計を立てた農耕民族です。だから辺境へ追いやるのではなく、取り込んで支配することになったわけです」

ラテンアメリカでも、本国からの搾取に対する反発から独立運動が起きたが、やはり指導したのは、クリオーリョと呼ばれる現地の白人たちであった。ボリビア独立の英雄であるシモン・ボリバル（図表２‐３）も白人である。

図表2-3　シモン・ボリバル

当時、ヨーロッパでは自由や自立を求める運動を抑圧するウィーン体制が樹立されていた。ゆえに、ラテンアメリカの独立運動もヨーロッパの干渉を受けたが、モンロー主義を掲げるアメリカや、ラテンアメリカを市場にしようと目論むイギリスの支援によって現地に有利に展開され、独立は達成されていった。

独立すれども自立できず

　独立を実現して建国されたのち、政治的には民族の差異があるなかで国家としてどのようにまとまっていくのかが問題となった。無論、うまくまとまることができず、多くの場合、白人優位のもとで軍事独裁が行われた。力で押さえつけてまとめるしかなかったのである。現在でも、ラテンアメリカ諸国の政治が安定しないのはこのためである。また、経済的にも、独立を指導した白人たちの土地を使用した農業が中心になり、モノカルチャー経済を脱することができなかった。独立を支援したイギリスやアメリカに従属を余儀《よぎ》なくされたのである。

「同じヨーロッパの植民地としてスタートしたにもかかわらず、国家統一に成功したアメリカと、統一に苦労するラテンアメリカ諸国。そして工業を発展させたアメリカと、農業に依存するラテンアメリカ諸国。両者の間には大きな差が生まれてしまいました。そして最終的に、アメリカはパン＝アメリカ会議を開催して、ラテンアメリカ諸国を指導下においていくことになります」

　京子は大きく息を吐いた。宮下から原稿用紙を受け取ると、修正した構成メモ（図表２-４）をもとに、次のようにまとめていった。

図表2-4　アメリカとラテンアメリカの歩みとその差異
（京子の構成メモ）

	アメリカ	ラテンアメリカ
以前	植民地	植民地
18世紀末	アメリカ独立戦争 ・フランスが援助 ・イギリスから政治的に独立	植民地
19世紀　1812〜15年	米英戦争 ・北部はイギリスから経済的に自立 ・南部はイギリスに経済的に従属、綿花プランテーションが発達 西漸運動を展開 ・西部に領土を拡大	独立運動 ・クリオーリョを中心として独立 ・イギリスのカニング外交
1823年	モンロー宣言 →	・アメリカのモンロー宣言 ・ウィーン体制の干渉を排除して政治的に独立するも、アメリカやイギリスに経済的に従属 ・モノカルチャー経済にとどまる ⇒工業化に失敗
1861〜65年	南北戦争 ・北部は保護貿易主義を主張 ・南部は自由貿易主義を主張 ・北部が勝利 ⇒統一に成功	パナマ会議 ・国家間の緊密化を図ったが挫折 ⇒統一に失敗
1870年〜	第2次産業革命 ・独立資本の成立 ⇒工業化に成功 パン=アメリカ会議 → 米西戦争 →	アメリカの指導下におかれる カリブ海への進出を画策

解答

18世紀後半、アメリカはフランスの援助を受けて独立戦争に勝利、イギリスから政治的に独立した。のち、米英戦争で再びイギリスと対立、北部は経済的にも自立を果たしたが、南部は従属を続け、綿花プランテーションが発達した。西部へは西漸運動を進めて領土を拡大した。一方ラテンアメリカは、19世紀前半にクリオーリョを中心として独立運動を展開、アメリカのモンロー宣言やイギリスのカニング外交によってウィーン体制の干渉を排除し、政治的に独立を果たした。しかし、経済的にはモノカルチャー経済にとどまり、アメリカやイギリスに従属して工業化には失敗した。また、パナマ会議によって国家間の堅密化を図ったが、挫折した。19世紀半は、アメリカは自由貿易主義を主張する南部と保護貿易主義を主張する北部が対立したが、南北戦争によって統一を達成した。その後、第2次産業革命が起こると、独占資本を成立させて工業化に成功した。パン＝アメリカ会議は次第にアメリカがラテンアメリカを従属させる場となり、米西戦争を通じてカリブ海への進出も図った。（４４７字）

第3章　イギリスを中心に展開された「侵略と抵抗」

世界を征服した欧米

次の問題は一見すると、暗記した知識を列挙するだけの問題に見える。だが、答案が完成すると、19世紀の国際情勢が実に鮮明に浮き彫りになり、やはり帝国主義の時代の新しい景色が見えるのである。

「先ほどの問題でも言ったように、実は、日本以外のほぼ全ての国が植民地化された経験をもっていることを私たちは忘れがちです。けれども、現在の多様な世界を理解するためには知っておく必要がありますね。19世紀はヨーロッパ諸国がアジア・アフリカを征服した帝国主義の時代です。そして、その中心にいたのがイギリスです。19世紀という帝国主義の時代を理解しているかは、イギリスによるパクス・ブリタニカを理解しているか、といえます」

宮下がプリントを配り終えると、生徒たちは一斉に問題文を読み始めた。東大に頻出の「帝国主義」に関する問題である。

問題（2008年）

1871年から73年にかけて、岩倉具視を特命全権大使とする日本政府の使節団は、合衆国とヨーロッパ諸国を歴訪し、アジアの海港都市に寄航しながら帰国した。その記録『米欧回覧実記』のうち、イギリスにあてられた巻は、「この連邦王国の……形成、位置、広狭、および人口はほとんどわが邦と相比較す。ゆえにこの国の人は、日本を東洋の英国と言う。しかれども営業力をもって論ずれば、隔たりもはなはだし」と述べている。その帰路、アジア各地の人々の状態をみた著者は、「ここに感慨すること少なからず」と記している。（引用は久米邦武『米欧回覧実記』による。現代的表記に改めた所もある。）

世界の諸地域はこのころ重要な転機にあった。世界史が大きなうねりをみせた1850年ころから70年代までの間に、日本をふくむ諸地域がどのようにパクス・ブリタニカに組み込まれ、また対抗したのかについて、解答欄（イ）に18行以内で論述しなさい。その際に、以下の9つの語句を必ず一度は用い、その語句に下線を付しなさい。

インド大反乱　クリミア戦争　江華島事件　総理衙門　第1回万国博覧会
日米修好通商条約　ビスマルク　ミドハト憲法　綿花プランテーション

※文中の傍線は筆者の判断で重要と思われるところに付した。なお、1行は30字。

歴史は時間と空間で構成される

「この問題は、いくつの国について論じるかが重要になります。そこに注意してやってみてください。構成メモができた人から挙手してもらおうかな」

宮下は教室全体を見ながら言った。問題文とは「制限」である。問題文は答案に書くべきことを様々な観点から制限してくる。歴史は「時間」と「空間」で構成するものであるから、基本的にはその２つの観点での制限となる。この問題では、時間の制限として「１８５０年ころから70年代までの間」とあり、空間の制限としては「諸地域」とある。そして、事象としての制限は、パクス・ブリタニカにどう「組み込まれ」、どう「対抗」したのか、である。

京子は時間の制限を念頭におきつつも、空間と事象を中心に構成メモの表を書いた。「困難は分割せよ」とはデカルトの言葉である。５４０字の困難も、書くべき地域ごとに分割していけば負担を軽くすることができる。例えば、６地域と仮定した場合、12マスができる。１マスにつき45字だ。だいぶ気が楽になる。

（これは解けそうね）

京子は指定語句が示す地域をスラスラと整理していく。しかし、ひと通り書き終えたところで、困惑して手が止まった。やはり東大は一筋縄ではいかなそうだ。

・インド大反乱　↓　インド（ムガル帝国）
・クリミア戦争　↓　トルコ（オスマン帝国）？
・江華島事件　↓　朝鮮（李氏朝鮮）か日本？
・総理衙門《がもん》　↓　中国（清朝）
・第１回万国博覧会　↓　イギリス
・日米修好通商条約　↓　日本？
・ビスマルク　↓　ドイツ？

・ミドハト憲法　→　トルコ（オスマン帝国）？
・綿花プランテーション　→　インド（ムガル帝国）

「第1回万国博覧会」はイギリスの発展という文脈で書けばよいだろう。しかし、問題文にある「パクス・ブリタニカに組み込まれ、また対抗した」というのは、「イギリスに征服され、それに対して反乱を起こした」という程度に受け取ると、指定語句を見る限り、その解釈にすんなりと見合う単語は「インド大反乱」と「総理衙《が》門《もん》」くらいであった。イギリスはインドに進出するなかで綿花プランテーションを普及させた。そのなかで起きたのがインド大反乱である（図表3-1）。そして、イギリスは中国（清朝）にアヘン戦争とアロー戦争をしかけ、その結果、清朝に外交事務官庁「総理衙門」を設置させ、対等外交を強要した。

図表3-1　インド大反乱

　京子は、少なくとも、書くべき事象は「イギリスに征服され、それに対して反乱を起こした」ことだけではないということを理解した。

（じゃあ、何を書けばいいの……？）

京子は改めて問題文に目を向けた。一度、一定の角度で読んでしまった文章を、別な角度で読み直すというのは非常に難しい。が、解けそうで解けない苛立《いらだ》ちのなかで、京子は糸口を見つけた。

図表3-2　岩倉使節団

パクス・ブリタニカへの対応

（日本をふくむ諸地域が……）

問題文をよく読めば「諸地域」のなかには日本が含まれている。しかし、周知の通り日本は征服されてはいないし、無論のこと支配に対する反乱も起こしていない。それでも、問題文は日本も「パクス・ブリタニカに組み込まれ、また対抗した」としている。

京子は気を取り直してもう一度問題文を読み直した。序文には岩倉具視《ともみ》の欧米視察の様子（図表3-2）が書かれている。そして指定語句には「日米修好通商条約」があった。日本は日米修好通商条約と同じ内容の不平等条約を、イギリス・フランス・オランダ・ロシアとも締結（安政の五カ国条約）、欧米の自由貿易体制に組み込まれ、欧米に有利な条件を強要されていった。これを受けて岩倉具視は、不平等条約の改正交渉のために欧米に向かったのだった。帰国したのちは、欧米で見聞したことをもとに改革を進め、憲法の制定に尽力している。指定語句には「江華島事件」もある。日本は、改革を進めながらも、欧米のまねごとを始め、対外進出を試みた。事件をきっかけに朝鮮を開国させ、それは日清戦争や日露戦争、ひいては韓国併合へとつながっていく。

（そうか、組み込まれる話も対抗する話もけっこう広い意味なんだ。征服と反乱だけではないのね。欧米の秩序に組み込まれること自体がパクス・ブリタニカに「組み込まれ」ることを意味するし、改革〈憲法の制定〉や対外進出もパクス・ブリタニカへの「対抗」としていいんだ）

京子は色々なことに気づいた。パクス・ブリタニカに「組み込まれ」る話には、植民地化や保護国化といった政治的な従属だけではなく、経済的な従属も含まれるのだ。つまり、自由貿易体制へ組み込まれていくことである。そして「対抗」も、反乱という軍事的なものだけではない。改革という政治的なものも含まれるということだ。憲法の制定や議会の設置など、要するにイギリスに追いつかんとする行為の全般を指すのだ。であるならば、西アジアのトルコ（オスマン帝国）や東アジアの中国（清朝）に関しての問題は解決する。トルコ（オスマン帝国）はクリミア戦争でロシアの攻撃を受けながらイギリスの支援を受けて従属を強めたが、イギリスと同じように近代国家であることを示すためにミドハト憲法を制定するなど、政治改革を行って対抗した。中国（清朝）も、アヘン戦争・アロー戦争でイギリスに敗北して総理衙門と呼ばれる初の外交事務官庁を設置して開国させられた一方で、洋務運動を展開して西洋の軍事技術を取り入れる軍事改革を行うことで対抗した。インドに加え、日本、そしてトルコや中国、アジアの４つの地域に関しては書くべきことが整理できた。

だが、まだ指定語句には欧米に関連すると思しきものが残っている。ドイツとアメリカはどのように考えればよいのだろうか。

帝国主義国が帝国主義国に抵抗？

（ドイツとアメリカがパクス・ブリタニカに組み込まれ、対抗……？　帝国主義国が帝国主義国に組み込まれて対抗って……）

京子はこれまでの授業の内容を思い出し、単語を思い浮かべては消すという作業を繰り返した。けれども納得のできる答えは思いつかない。

　ここで宮下は全体にアナウンスした。

「いき詰まったら問題文ですよ。迷ったりしたら必ず問題文に戻りましょう」

　他にも悩んでいた生徒がいたのだろう。アドバイスを聞いて京子は問題文に目を向けた。

（１８５０年ころから70年代まで……70年代？）

　京子が何に引っかかったのか、おわかりだろうか。70年代のアメリカで何が起きていたか、第２章の問題を参照いただきたい。京子は、これまで特に気にとめていなかった時間の制限から扉をこじ開けたのである。

（第２次産業革命の時期だ。……そうか、確かにイギリスは圧倒的な工業力と生産力をもっていた、だから自由貿易の世界では絶対に負けない。それは欧米諸国が相手でもだ。けれども、イギリスの経済力に対してドイツもアメリカも保護貿易を行うことで対抗したじゃないか！　だからこそ自国の産業を成長させることに成功して、第２次産業革命ではドイツとアメリカが主役になり、イギリスを工業力において追い抜いていったんだった！）

　京子は興奮してドイツとアメリカの項目を付け加えた。ドイツはビスマルクのもとで60年代後半から統一を進め、71年に統一を達成、その後は保護貿易を展開して産業を育成した。

アメリカもリンカーンのもとで60年代前半に南北戦争を展開、統一を実現した。その後は保護貿易を展開して、やはり産業を育成した。

これで書くべき地域と事象は出そろった。京子は正解に大きく近づいていた。彼女は一気に構成メモ（図表3－3）の表を書き上げてペンを置き、宮下に見てもらうために手を挙げた。顔を上げると宮下は赤ペンをもって近づいてきていた。

だが、彼女は1つ重要な国を忘れている。日本、インド、トルコや中国、そしてドイツとアメリカ、けれども、実はあと1つある。それも、帝国主義の時代にイギリスと対立した国としては最も有名な国だ。そんな国を書かないわけにはいかないが、対抗の主体として欧米を発想することも容易ではないため、思いつかなかったのである。

あと1つ

宮下は生徒が確信をもって手を挙げた時の表情が好きだった。京子の解答に目を通したところ、ほぼ正解に近い。

「けど、惜しいな。あと1つ必要な国がある。それもヨーロッパだ」

生徒が自力で解答に辿り着けるように、生徒の頭と解答の間にある絶妙な用語をヒントと

図表３-３　パクス・ブリタニカに組み込まれ、対抗した国々（京子の途中の構成メモ）

	イギリス	
1851年	自由貿易体制を確立して海外へ進出 第1回万国博覧会 ・「世界の工場」としての力を誇示	
	インド（南アジア）	オスマン帝国（西アジア）
組み込まれ	ムガル帝国 ・東インド会社による植民地 ・綿花プランテーションで発展	クリミア戦争 ・イギリスから支援を受けた ・イギリスへの従属が強まる
対抗	インド大反乱 ・鎮圧後はイギリスの直接統治	ミドハト憲法制定による政治改革 ・露土戦争により挫折
	中国（東アジア）	日本（極東）
組み込まれ	アヘン戦争・アロー戦争 ・総理衙門を設置 ・対等外交に組み込まれる	日米修好通商条約 ・開国の後に締結 ・自由貿易体制に組み込まれる
対抗	洋務運動 ・西洋の技術を導入する軍事改革 ・政治的近代化を伴わず、失敗	明治政府を樹立 ・明治維新を展開 ・政治的近代化に成功 朝鮮を開国させ、対外進出を開始 ・江華島事件が契機
	ドイツ	アメリカ
対抗	保護貿易の展開 ・統一後にビスマルクが展開 第2次産業革命（1870年代） ・工業化でイギリスに対抗	保護貿易の展開 ・南北戦争により統一に成功 ・北部を中心に展開 第2次産業革命（1870年代） ・工業化でイギリスに対抗

して与える、これは教師にとって重要な技術だ。一方の京子は悔しかった。絶対に正解だと思っていたからだ。逆に言えば、東大はやはりそう簡単ではないのだ。あと1つ。宮下は狭い教室のなかを歩きながら誰にともなく言った。

「帝国主義時代にイギリスに対抗した国……イギリスと対立した国だよ……？」

京子は自分に言われていることはわかったが、心のなかでは反射的に「そう言われても……」とつぶやいていた。だが、逆に問題文からではない宮下からの言葉は、固定観念なく問いを問いとしてとらえることができた。

（ロシアか）

帝国主義時代にイギリスと対立したヨーロッパの国といえばロシアしかない。なぜ気づかなかったんだろう。イギリスとロシアの対立はこの時代の固定された周知の関係だ。

（なるほど、クリミア戦争はロシアに関する指定語句だったのか）

京子は過ちに気がついた。「クリミア戦争」をなんとなくトルコに関する語句として使用していたが、ロシアで使用することもできる。ロシアは、クリミア戦争でイギリスに敗北したのち、改革として農奴解放を行って近代政治の根幹である自由・平等の実現に手をつけた。これも確かにイギリスに追いつかんとする行為だ。京子は急いで構成メモ（図表3－4）を

図表３-４　最後のピースはロシア（京子の最終的な構成メモ）

	イギリス	
1851年	自由貿易体制を確立して海外へ進出 第1回万国博覧会 ・「世界の工場」としての力を誇示	
	インド（南アジア）	**オスマン帝国（西アジア）**
組み込まれ	ムガル帝国 ・東インド会社による植民地 ・綿花プランテーションで発展	クリミア戦争 ・イギリスから支援を受けた ・イギリスへの従属が強まる
対抗	インド大反乱 ・鎮圧後はイギリスの直接統治	ミドハト憲法制定による政治改革 ・露土戦争により挫折
	中国（東アジア）	**日本（極東）**
組み込まれ	アヘン戦争・アロー戦争 ・総理衙門を設置 ・対等外交に組み込まれる	日米修好通商条約 ・開国の後に締結 ・自由貿易体制に組み込まれる
対抗	洋務運動 ・西洋の技術を導入する軍事改革 ・政治的近代化を伴わず、失敗	明治政府を樹立 ・明治維新を展開 ・政治的近代化に成功 朝鮮を開国させ、 対外進出を開始 ・江華島事件が契機
	ドイツ	**アメリカ**
対抗	保護貿易の展開 ・統一後にビスマルクが展開 第2次産業革命（1870年代） ・工業化でイギリスに対抗	保護貿易の展開 ・南北戦争により統一に成功 ・北部を中心に展開 第2次産業革命（1870年代） ・工業化でイギリスに対抗
	ロシア	
対抗	**農奴解放令** ・クリミア戦争に敗北したのちに発布、しかし中途半端に終わる	

まとめあげて、顔を上げた。宮下は満足した表情でこちらを見ていた。

近代化の徒競走

「うん、正解。じゃあ文章にしましょう」

京子はホッとしながら原稿用紙を受け取った。京子は、改めて構成メモの表を見たところ、この時代の様子が映像として浮かび上がっていることに気づいた。それは徒競走のようなものだった（図表3－5）。先頭を走るイギリスは市民革命という政治的近代化をいち早く済ませ（イギリス革命）、そして産業革命によって経済的近代化もいち早く終わらせた。パクス・ブリタニカではその国力を世界に誇示した。後を追う国の動きは様々である。

覇権国家		イギリス	
経済的近代化	アメリカ	ドイツ	
政治的近代化	オスマン帝国（失敗）	ロシア（失敗）	日本（成功）
軍事的近代化		中国（失敗）	
ただの反乱		インド	

図表3－5　パクス・ブリタニカは近代化の徒競走

- ドイツ：経済的に対抗
- アメリカ：経済的に対抗
- 日本：政治的近代化で対抗（成功）
- ロシア：政治的近代化で対抗（失敗）
- オスマン帝国：政治的近代化で対抗（失敗）
- 中国：軍事的近代化で対抗（失敗）
- インド：反乱で対抗（失敗）

欧米諸国のうち、ドイツとアメリカは、イギリスの自由貿易に対して保護貿易で防御するとともに、国内産業を育成して工業化することに成功した。既に政治的近代化は済ませているので、経済的に対抗したのである。欧米諸国のなかでは後進国であったロシアは、クリミア戦争に敗北したのちに農奴解放などの改革を行った。欧米諸国の一員であるにもかかわらず、ようやく政治的近代化を始めたということだ。

アジアのなかで先進国の日本は、明治維新を成功させ、欧米諸国にならって対外進出を始めた。アジアのなかで唯一、政治的近代化を成功させたのである。このちょうど同じぐらいの位置にいるロシアとは日露戦争で激突、日本が勝利することになる。

　さて、トルコ（オスマン帝国）はミドハト憲法を制定して改革を行ったが、露土戦争で停止、政治的近代化は失敗に終わった。それに次ぐ中国（清朝）は洋務運動で対抗した。これは政治的近代化を伴わない軍事的近代化であり、誤った方向で立て直しを進めている。アジアのなかでも後進国であったインドは反乱という最も単純な抵抗を行っていた。

　この問題は、帝国主義の時代、先頭を走るイギリスに対して、世界各国がどのような位置にいて、その位置に応じてどのような対抗をしたか、を浮き彫りにさせる問題だったのである。イギリスを先頭として、徒競走のように各国が追っているのが浮かび上がるではないか。

　京子は、原稿用紙に文章を書き始めた。

解答

イギリスは第1回万国博覧会を開催して「世界の工場」として力を示す一方、自由貿易を掲げて対外進出を行った。インドでは綿花プランテーションが普及してイギリスへの従属が強まっており、インド大反乱を引き起こした。しかし、鎮圧されたのちにイギリスの直接統治へ移行した。清朝は、アロー戦争に敗北することで対等外交の世界に組み込まれ、総理衙門を設置する一方、欧米に対抗するため、西洋の技術を導入する洋務運動と呼ばれる軍事改革を推進したが、政治改革を伴わなかったため失敗した。オスマン帝国は、クリミア戦争に苦しみながらも、ミドハト憲法を制定して政治改革を行ったが、露土戦争で停止され挫折した。日本は開国後に日米修好通商条約を結び、自由貿易体制に組み込まれたが、明治政府成立後は明治維新によって政治改革を成功させた。さらに、江華島事件を機に朝鮮を開国させ、対外進出を開始した。欧米では、クリミア戦争でイギリスに敗北したロシアが農奴解放を行ったが、中途半端なものに終わった。一方、統一を達成したドイツは、ビスマルクが保護関税法を定め、工業力でイギリスへの対抗を開始した。アメリカも南北戦争で統一を実現すると、北部を中心に保護関税政策をとり、ドイツとともに工業化に成功、第２次産業革命の中心国となった。（５４０字）

第4章 「抵抗」する中華世界

変容を迫られる世界

東大の問題は「歴史は、現在の『なぜ？』に答えるものである」ということも教えてくれる。現在の問題は原因を突き止めないことには解決できない。そして原因は過去にしか見出せない。過去を学ぶことは、現在をとらえ、そして進むべき未来を断じることに役立つ。中国が新しい動きに出ている現在、彼らが何を考え、何を見ているのか、そして我々の進むべき未来に何を見るべきか、答えは歴史に見出せよう。こうした視点は様々な経験を経た大人はごく普通に持っている。だが、経験の乏しい10代の学生にとって、そういった意識をもつことは極めて難しい。彼らにとって、歴史は紙の上での物語にすぎないことが多い。ゆえに、教師はあの手この手で、その紙の上での物語が、実は現在の自分たちの身の回りの現実につながる過去の現実であることに気づかせようと、日々奮闘しているのである。だが、東大に挑戦しようかという学生は、言われずとも現在にアンテナをはっているものである。

「さて、東大の問題は常に『国家』を主題とし、その歴史を考えさせるものですね。欧米は

17～18世紀の市民革命によって『国家』をつくりあげ、そして19世紀の帝国主義によって世界を征服していきました。その支配から独立していくなかで各地に『国家』が樹立されていくことになります。前の問題では、イギリスを中心に世界が欧米の秩序に組み込まれ、そして、そこには様々な対抗があったことを確認しましたね。もちろん、各地には独自の秩序があったのですが、それは欧米によって否定され、欧米の秩序に転換すべく変容が求められました。その努力の末に『国家』としての自立を実現していくことになります」

　再三再四述べているように、日本は欧米諸国の支配を受けていないので、そういった体験を経ていない。無論、日本も欧米の秩序に転換を余儀なくされたのだが、大した問題もなく変化に適応してしまったのである。

「東アジアには中華の概念がありましたから、特に中国が変化に苦しむことになります。現在、中国はかつての威信を取り戻しつつあり、無視できない動きをとり始めています。この問題は最近のものですから、そういった情勢の『なぜ？』に答えることになるでしょう」

　そう言うと、宮下はプリントを配り始めた。

問題（2020年）

国際関係にはさまざまな形式があり、それは国家間の関係を規定するだけでなく、各国の国内支配とも密接な関わりを持っている。近代以前の東アジアにおいて、中国王朝とその近隣諸国が取り結んだ国際関係の形式は、その一つである。そこでは、近隣諸国の君主は中国王朝の皇帝に対して臣下の礼をとる形で関係を取り結んだが、それは現実において従属関係を意味していたわけではない。また国内的には、それぞれがその関係を、自らの支配の強化に利用したり異なる説明で正当化したりしていた。しかし、このような関係は、ヨーロッパで形づくられた国際関係が近代になって持ち込まれてくると、現実と理念の両面で変容を余儀なくされることになる。

以上のことを踏まえて、15世紀頃から19世紀末までの時期における、東アジアの伝統的な国際関係のあり方と近代におけるその変容について、朝鮮とベトナムの事例を中心に、具体的に記述しなさい。解答欄（イ）に20行以内で記述しなさい。その際、次の6つの語句を必ず一度は用いて、その語句に下線を付しなさい。また、下の史料A～Cを読んで、例えば、「○○は××だった（史料A）。」や、

「史料Ｂに記されているように、○○が××した。」などといった形で史料番号を挙げて、論述内容の事例として、それぞれ必ず一度は用いなさい。

薩摩　下関条約　小中華　条約　清仏戦争　朝貢

史料Ａ

なぜ、（私は）今なお崇禎《すうてい》という年号を使うのか。清《しん》人が中国に入って主となり、古代の聖王の制度は彼らのものに変えられてしまった。その東方の数千里の国土を持つわが朝鮮が、鴨緑江を境として国を立て、古代の聖王の制度を独り守っているのは明らかである。（中略）崇禎百五十六年（１７８０年）、記す。

史料Ｂ

１８７５年から１８７８年までの間においてもわが国（フランス）の総督や領事や外交官たちの眼前で、フエの宮廷は何のためらいもなく使節団を送り出した。そのような使節団を３年ごとに北京に派遣して清に服従の意を示すのが、この宮廷の慣習であった。

史料C
琉球国は南海の恵まれた地域に立地しており、朝鮮の豊かな文化を一手に集め、明とは上下のあごのような、日本とは唇と歯のような密接な関係にある。この二つの中間にある琉球は、まさに理想郷といえよう。貿易船を操って諸外国との間の架け橋となり、異国の珍品・至宝が国中に満ちあふれている。

※文中の傍線は筆者の判断で重要と思われるところに付した。なお、1行は30字。

「中国の夢」とはなにか

問題を解かせる前に、宮下は習近平（図表4－1）が国家主席に就任した直後の演説を紹介した。

「習近平は次のように言いました。『改革開放以来、我々は歴史を総括し、苦しみながら探求を続けた末についに中華民族の偉大な復興を実現するための正しい道を見出した。我々はこれまでのどの時代よりも、中華民族の偉大な復興という目標に近づいている。すべての党員は肝に銘じてほしい。落伍《らくご》すれば叩かれるのであり、強くあるためには発展を続けなければならないということを。肝に銘じてほしい。正しい道を見出すのがどれだけ大変なことだったかを。我々はこの道を迷わず進む。いま、多くの人が中国の夢を語っている。私は中華民族の偉大な復興こそが近代化以来、中華民族が目指してきた最も偉大な夢だろうと思う。

（中略）中華民族の偉大な復興は光栄ではあるが困難な事業であり、そのために代々の中国人がともに努力していかねばならないのである』と」

図表４-１　習近平
“24/05/2019 Audiência com o Presidente da República popular da China, Senhor Xi Jinping” Palácio do Planalto 2019 / Licenced under CC BY 2.0（https://www.flickr.com/photos/palaciodoplanalto/47945730807/）

生徒はじっと耳を傾けていた。その様子を見ながら宮下は話を続ける。

「習近平が未来に見すえる『中国の夢』『偉大な夢』とは何なのでしょう。一体どのような過去から現在に至り、そして彼らはどういった夢を未来に抱いているのでしょう。それを知るには歴史を知らなければなりませんね。そういった観点から出題されたのだと思います。では、構成メモができた人から手を挙げて教えてください」

多面的にとらえる視点

話を聞き終わると、京子はさっそく問題文に目を通し、整理し始めた。

（近代以前は冊封《さくほう》体制、近代以後は主権国家体制。そして問題文では冊封体制に色々と補足をしているわね）

・冊封体制の理念　：近隣諸国の君主は中国王朝の皇帝に対して従属関係
・冊封体制の現実　：従属関係ではない
　　　　　　　　　　国内支配とも関わりをもっている
　　　　　　　　　　↓　支配の強化に利用
　　　　　　　　　　↓　異なる説明で正当化

冊封体制は国際秩序なのだが、実は国内支配に密接な関わりがあるということを指摘している、東大の問題によくある構造だ。「〇〇とされているけど実は違う見方もある」という構造である。東大は学問の垣根を取り払い、ものごとを多面的にとらえることを目指している。ゆえに、歴史にも、多面的にとらえる視点を求めるのだ。この問題では、もちろん「実は」の後が重要である。実は（従属しているように見せて）、支配の強化に利用していたり、異なる説明で支配を正当化していたりした、というのである。

（時間の制限は15世紀頃から19世紀末まで。空間の制限は朝鮮とベトナム……けれど「朝鮮とベトナムの事例を中心に」とあるから、他の国について書いてもよさそうね。史料Cが琉球の内容だから、朝鮮、ベトナム、琉球の３つかな）

京子はサクサクと論理的な枠組みを整理して構成メモの表を書き上げた。あとは、具体的な知識を埋めていけるかどうかである。

冊封体制の理念と現実

15世紀頃から19世紀末まで、中国の王朝は明朝、そして清朝である。しかし、前者は漢民族の王朝で、後者は異民族の王朝という点で決定的な違いがあった。明代、朝鮮は冊封を受け入れ、中国の政治制度や文化を輸入した。そして、中国の権威をもって国内の統治を行った。だが、清代になると、冊封を受け入れておきながら、中華は異民族に征服されて「夷狄《いてき》化」したとして、自らを中華の伝統の正統な継承者とする「小中華」の思想をもって国内を支配した。従属した外との関係（理念）と、支配する内での説明（現実）には違いがあったのである。実際、史料Ａに記されているように、国内では明の元号を用いている。

ベトナムも、同様に明朝や清朝から冊封を受け、史料Ｂにあるように3年ごとに中国に使者を送り、中国の政治制度や文化を取り入れた。だが、文中の「１８７５年から１８７８年までの間」は既にフランスの進出を受けている。それは中国の清朝には従属を示しつつ、フランスの影響も受け入れているということであり、ここにも理念と現実に乖離《かいり》が見られる。

琉球も同様である。明朝の冊封を受け、中国の豊かな文物を朝貢貿易で得ると、それらを朝鮮や日本へと輸出する中継貿易で繁栄した。だが、明朝の支配が揺らぐと、薩摩の侵攻を受け、中国と日本に両属する体制をとっていたのだった。

しかし、こうした東アジアの国際秩序は、イギリスを中心とするヨーロッパ勢力が進出することで脆《もろ》くも崩壊することになる。中国の現在に至る苦難の道は、ここから始まったのである。

京子は宮下の授業を思い出しながら、構成メモを埋め始めた。

パクス・ブリタニカに組み込まれた中国

「中華の崩壊はアヘン戦争から始まります」

イギリスは、貿易赤字を解消するため清朝に対等外交を求めたが、交渉は決裂した。そこで、なんとか貿易黒字だけでも確保するためアヘン貿易を始めた。アヘンが中国に蔓延すると、中国では社会問題になり、かつ今度は中国が貿易赤字に転じた。問題の解決に立ち上がったのが林則徐《りんそくじょ》（図表４-２）である。彼は厳禁策をもってアヘン問題に取り組み、貿易を強硬に取り締まった。イギリスは目的を実現するため、林則徐の厳禁策の行き過ぎを口実にアヘン戦争をしかけた（１８４０年）。

図表４-２　林則徐

「しかし、軍事力の差は歴然としていました。軍艦に対しては帆船で、銃火器に対しては青龍刀で立ち向かったのですから、勝てるはずがありませんね」

敗北した中国は、５港の開港と領土割譲（香港など）、そして対等外交を約束させられた。現在、問題になっている香港のイギリス支配もここから始まっている。さらに、清朝は不平等条約の締結を強要されていった。

だが、それでも清朝が条約内容を守らなかったため、イギリスはさらなる戦争をけしかけた。第２次アヘン戦争ともいわれるアロー戦争である（１８５６〜１８６０年）。清朝は再び敗北、初の外交事務官庁となる総理衙門を設置することになり、完全に開国するに至った。これは先の問題で確認した通りである。こうして中国はパクス・ブリタニカのなかで、ヨーロッパの主権国家体制、自由貿易体制に組み込まれたのであった。主権国家体制は、対等な関係で条約を取り結んでいく体制である。だが、実際には武力を伴い、平等とは言いがたい関係で成り立っていたのである。

構成メモを埋めながら、京子は主権国家体制にも理念と現実に乖離があることに気づいた。

奪われる中国の子分

「こうして中華世界の親分が陥落すれば、その影響はもちろん子分たちにも伝播します。子分たちは、親分から引き離され、ヨーロッパに奪われていくことになりました」

宮下の言う通り、その後、フランスはベトナムに進出して保護国とした。ベトナムはもともと冊封体制において中国の子分であったが、フランスの子分とされたのである。だが、ベトナムは清朝とフランスの両方に従属する形をとった。そこで、清朝とフランスとの間で親分争いが起きた。清仏戦争である（１８８４年）。結果、天津《てんしん》条約が結ばれ、中国はベトナムを失うことになった。

その頃、日本も欧米の圧力に苦しんでいた。黒船によって開国させられ、不平等条約の締結を強要された。だが、日本は明治維新によって改革に成功、欧米に追いつかんと憲法の制定や議会の設置を器用にこなし、さらに、日本は欧米のまねごとをして、朝鮮半島へと対外進出も始めた。これも前の問題で学んだ通りである。

「日本は唯一欧米の秩序にすんなり適応した国家です。良くも悪くもですが、日本の目は常に外に向いています。これは卑弥呼の時代から、遣隋使・遣唐使の時代から、変わらないことです。とある学者は日本の歴史を『無限の適応過程としての進化の表象』と表現しています。日本は常に外に適応しようとする歴史を歩んだので、可能だったんでしょうね。この時期の日本の動きに関しては、次の問題で扱いましょうか」

日本は琉球を鹿児島県に編入し、のちに沖縄県として領有していった。そして矛先を朝鮮に向けたのである。朝鮮ももともと冊封体制のもとで中国の子分であった。しかし、日本は江華島事件をきっかけに朝鮮を開国させることで影響を及ぼしていく。結果、朝鮮も清朝と日本に両属する形になり、日清の間でも親分争いが勃発する。日清戦争である（１８９４年）。勝利した日本は、下関条約で中国に朝鮮を完全な独立国と認めさせ、朝鮮を子分にしようとした。

だが、ここでロシアが現れる。ロシアも朝鮮への進出を画策していたのである。再度の親分争いとなったのが日露戦争だった（１９０４年）。辛くも勝利した日本は、１９１０年に韓国を併合するに至った。こうして、東アジアの秩序はヨーロッパ列強に加え、日本も参加する形で崩されていくことになった。

京子は、冊封体制の時代と主権国家体制への転換を綺麗に整理して、構成メモ（図表４-３）を完成させると手を挙げた。宮下に見せたところ正しく整理できているようだった。京子は原稿用紙を受け取り、文章を書き始めた。

中華世界の見すえる未来

現在の国際秩序は、欧米の市民革命によって築きあげられ、帝国主義によって世界に広められていったものである。無論、そこには欧米による侵略や支配の歴史があった。各地では

図表4-3 東アジアの伝統的な国際関係とその変容
(京子の構成メモ)

変化前	
国際関係	冊封体制 ・中華思想に基づき、中国が周辺諸国と形式的な君臣関係を結んだ体制 ・周辺諸国は中国に使者を派遣して朝貢による貿易を行った ・周辺諸国は中国の政治制度や文化を取り入れた
朝鮮	李氏朝鮮 ・明代には科挙を取り入れ、朱子学を官学とした ・清代には、中華は夷狄に征服されたとして、朝鮮が唯一中国の伝統文化を継承しているとする小中華の思想をもった 史料A) 清を宗主国としながらも明の元号を継承
ベトナム	史料B) フランスの進出を受けながらも3年ごとに清に使節を派遣
琉球	史料B) 朝鮮や日本との中継貿易で繁栄 薩摩に侵攻されて以降は日中に両属した
変化後	
国際関係	主権国家体制 ・対等な条約を結ぶ体制 ・東アジアの国際秩序は崩壊 アヘン戦争・アロー戦争の結果、対等な国交を受け入れる ・周辺諸国に対する宗主権も失う
朝鮮	日朝修好条規 ・日本に開国されると、日清間の対立が激化 日清戦争の下関条約で清は宗主権を失う
ベトナム	ユエ条約 ・フランスに保護国化されると、清とフランス間の対立が激化 清仏戦争の天津条約で清は宗主権を失う
琉球	日本により鹿児島県に編入される ・のち沖縄県として領有

多くの抵抗が起こったものの、それぞれの地域の秩序は変容を迫られていった。結果、欧米の掲げる自由・平等といった人権の概念、民主主義のシステム、そして主権国家体制といった秩序は、現在では一定の普遍性が認められて世界に定着している。

宮下は問題の解説をひと通り終えると、一言つけ加えた。

「現在の中国は、ここに新たな覇を唱えようとしているように見えます。中国が世界のリーダーになるためには、欧米諸国の普及させた普遍ともいえる価値を認めなければなりません。けれども、中国はチベットやウイグルで人権侵害を行っています。認めないのであれば、中国は別な普遍といえる価値を提示しなければなりません」

人民元と軍事力だけで人々はついてこない。京子は香港の運動家である周庭《しゅうてい》さん逮捕の報道を思い出していた。

「『中国の夢』とは何なのでしょう。習近平は具体的なものを提示しません。しかしながら、具体的ではないからこそ、中国の人々の想像をかき立て、魅力あるものとして響くのかもしれませんね」

彼らの夢の実現を自分は将来目の当たりにすることになるのだろうか、京子はそんなことを考えた。

解答

東アジアでは、中華思想に基づいて、中国が周辺諸国と形式的な君臣関係を結ぶ冊封体制をとっていた。周辺諸国は中国に使者を派遣して朝貢による貿易を行い、政治制度や文化を取り入れた。李氏朝鮮は明を宗主国として、科挙を取り入れ朱子学を官学とした。清が成立すると、中華は夷狄に征服されたとして、朝鮮が唯一中国の伝統文化を継承しているとする小中華の思想を掲げ、史料Aに記されているように清を宗主国としていたが、実際には明の元号を使用した。ベトナムでも、清が成立すると、史料Bにあるように、フランスの進出を受けながらも3年ごとに清に使者を派遣していた。琉球は明を宗主国として朝貢貿易を行い、史料Cに記されているように、朝鮮や日本との中継貿易で繁栄した。薩摩に侵攻されて以降は日中に領属する体制をとった。だが、19世紀に入ると、ヨーロッパの進出によって中国は対等な条約を結ぶ主権国家体制に組み込まれ、東アジアの国際秩序は崩壊した。中国は、イギリスを中心としたアヘン戦争とアロー戦争により、対等な国交を受け入れ、周辺諸国に対する宗主権も失っていった。朝鮮は、日本が日朝修好条規で開国させると日清間の対立が激化、日清戦争が起こり、下関条約で宗主権を失った。ベトナムは、フランスがユエ条約でベトナムを保護国化すると、清仏戦争が起こり、天津条約で清は宗主権を失った。琉球は、日本が鹿児島県に編入したのち、沖縄県として領有した。（599字）

第5章　「抵抗」の中心にはあの国がいた

「抵抗」する世界

東大の問題は他の難関国立大学の問題に比べ、特に「読解力」を必要とする。それは「注意力」「洞察力」と言ってもいい。学生に一種の閃きのようなものを要求するのである。ただ、その閃きは決して天才的で超越的な現象ではない。糸口となることは必ず問題文に書かれており、それに気づくか気づかないかの差なのである。この1985年の問題は、閃きを必要とする問題としては最高のものである。

「さて、イギリスを中心に世界が西洋の秩序に組み込まれ、それに対する各地の様々な対抗を見てきました。特に中国は大きな変容を迫られたことを確認しました。この問題も同様、帝国主義に反発する動きに関する問題です。では、この問題は本番さながらに制限時間を設けてやってみましょう」

本番ではじっくり考える時間の余裕はないので、時間を決めて解くのは重要な訓練だ。宮下はプリントを配りながら言った。

「東大の問題は東大の問題でしか訓練できませんからね。他の大学とは質が違いますから、大切に扱ってください。特にこの問題は本当にいい問題なので、皆さんの全ての力を注いでぶつかってください。これも構成メモができたら挙手としましょう」

問題（１９８５年）

19世紀末から20世紀初期にかけて、いくつかの戦争が起こり、また、世界各地でさまざまな反帝国主義運動が展開された。下記の諸都市と関連することがらを思い浮かべながら、１８９４年から１９１０年にいたる時期の反帝国主義運動について、20行以内で述べよ。なお、下記の都市名を解答文で使用する必要はない。解答は解答用紙の（イ）の欄に記入せよ。

東京　漢城（ソウル）　北京　マニラ　カルカッタ　テヘラン
イスタンブル　ハルトゥーム　ペテルブルク　ハバナ

※この問題では、文中に傍線を付さなかった。読者の皆さんも一緒に考えていただきたい。なお、1行は30字。

世界各地で起こった抵抗

指定された都市は10個、字数は６００字、ということは１つの都市につきわずか60字で書くことになる。純也は勝負がどこで決まるかをすぐに理解した。指定された都市から、国家と運動を特定できるかどうか、つまりは空間別に整理できるかどうか、である。純也は国家を特定することから始めた。

（東京は日本、漢城〈ソウル〉は韓国、北京は中国……）

特につまずくこともなく次のようにまとめることができた。

都市	国家
・東京	日本
・漢城（ソウル）	韓国

・北京　　　　中国
・マニラ　　　フィリピン
・カルカッタ　インド
・テヘラン　　イラン
・イスタンブル　トルコ
・ハルトゥーム　スーダン
・ペテルブルク　ロシア
・ハバナ　　　キューバ

ハルトゥームやハバナの国家を指定するのは簡単ではない。しかし、純也は社会2科目に地理を選択していたため、難なくこなすことができた。

東大の受験には社会が2科目必要である。最も合格者の多い選択のパターンは実は「世界史・日本史」選択である。東京都内では歴史科目と「地理」を選択する受験生が多いが、地方では歴史科目を2つ選択する受験生が多い。一見すると学習量が多くなってしまう気もするが、同じ歴史科目であるから相乗効果で習得しやすいのかもしれない。

純也は並べられた国家を見渡して、今度は各国で生起した反帝国主義運動を思い浮かべてみた。これもつまずくことなくできそうだ。国家の下に運動の名を書き加えていく。東アジア、南アジア、西アジア、アフリカ、太平洋域、と与えられた国家は世界のほとんどの地域を網羅しているのがわかる。ただ１つだけ質の異なる都市があった。

（ペテルブルク？　ロシアだよな。ロシアでの反帝国主義運動なんてあったか？）

純也は戸惑った。反帝国主義は、普通に考えれば抵抗するアジア・アフリカの国々の立場である。反帝国主義の運動がロシアで起こるというのはよくわからない。けれども、２００８年の問題（第３章）で、パクス・ブリタニカの「対抗」に欧米諸国も含めたことから、ここでも柔軟な発想が必要なのだろうと考えた。

帝国主義に反対するもの、それは当然ながら社会主義であり、ロシアでいえば労働者たちによる第１次ロシア革命が挙げられる。反帝国主義運動というのは、アジア・アフリカにおける民族運動（独立運動）のみを指すわけではないのだ。

東大の問題は複数の観点を要求してくることが多い。反帝国主義運動といっても、その形は様々なのである。純也は経験から閃き、メモを次のように整理した。

都市	国家	運動
・東京	日本	中国同盟会の結成
・漢城（ソウル）	韓国	反日義兵闘争
・北京	中国	義和団事件
・マニラ	フィリピン	フィリピン革命
・カルカッタ	インド	インド国民会議カルカッタ大会
・テヘラン	イラン	イラン立憲革命
・イスタンブル	トルコ	青年トルコ革命
・ハルトゥーム	スーダン	マフディー戦争
・ペテルブルク	ロシア	第1次ロシア革命
・ハバナ	キューバ	独立運動

書き終えて、純也はフーッと息を吐いた。この問題はもう解けたに等しい。あとはそれぞれの運動の原因や結果、関わる人物などを補足として加えればよい。困難は分割せよ。600字も10×60字に分割できるのなら恐れるに足らず。純也は宮下の授業を思い出しながら構

成メモの表を埋めていった。

アジアの希望となった日本

「19世紀、各地では様々な抵抗運動が起こりました」

　ほんの１００年ちょっと前の世界は帝国主義時代であった。欧米諸国は圧倒的な軍事力と経済力で世界を征服、アジア・アフリカ諸国はなす術《すべ》もなかったが、もちろん各地では抵抗（反帝国主義運動）が起こった。

「この時代、日露戦争での日本勝利の報は世界を駆け巡り、衝撃を与えました」

　日本は明治維新を成功させると対外進出を開始。朝鮮半島への進出をめぐって、２つの大国と戦争をすることになった。中国（清朝）は日清戦争で破ることに成功した（１８９４年）。それだけでも東アジアの秩序をひっくり返すことを意味するわけで、多大な労力を投じることになった。だが、今度は欧米諸国の一角であるロシアが朝鮮へと野心を向けたため、日本はさらなる大国と争うことになったのである。これが日露戦争だった（１９０４年）。

「中国の孫文はこう語りました。『アジア人は皆、白人には敵わないと思った。しかし、日本人だけが違うと信じた』と」

当時の日本はロシアを恐れなかった。旅順攻囲戦では乃木希典《のぎまれすけ》の指揮の下で２０３高地を奪取、日本海海戦でも東郷平八郎がいわゆるT字戦法（トウゴウターン）でバルチック艦隊を殲滅《せんめつ》した。ロシア国内で第１次ロシア革命が勃発したことも幸いして、日本はなんとかロシアの脅威を撃退することに成功した。ポーツマス条約が結ばれ、日本は朝鮮半島での優位を確保するに至った。この日露戦争の日本の勝利はアジアに希望をもたらすことになる。勝てるはずのない相手に勝ったのであるから当然である。中国の孫文は東京で中国同盟会を結成して、革命への意欲を燃やした。インドでも国民会議のカルカッタ大会が開催され、反英闘争に向けて結束した。イランやトルコでも革命が起きた。皆、日本に続けとばかりに抵抗を加速させたのである。

「さらに孫文は日本の行く末について次のようにも話しています。『今後日本が世界文化の前途に対し、西洋覇道の鷹犬《たかいぬ》となるか、或は東洋王道の干城《かんじょう》となるか』と」

当時の日本の国際的地位は、欧米の底辺、アジア・アフリカの頂点、といったところであろう。日本は欧米の門下生になるか、アジアの指導者になるか、岐路に立たされたのである。

「この選択について、福沢諭吉は次のように言っています。『我が国は隣国の開明を待ちて共に亜細亜を興すの猶予あるべからず。寧《むし》ろその伍を脱して西洋の文明国と進退を共にし

図表5-1　19世紀から20世紀初期にかけての反帝国主義運動（純也の構成メモ）

対イギリス	
インド	インド国民会議カルカッタ大会（1906年） ・ベンガル分割令に反対して開催 ・四大綱領を採択して大衆運動を展開
スーダン	マフディーの反乱（1881 ～ 98年）
対フランス	
ベトナム	維新会 ・ファン・ボイ・チャウらが東遊運動をもとに民族運動を展開 光復会 ・武力革命を目指す
対アメリカ（対スペイン）	
キューバ	独立戦争 ・ホセ・マルティを指導者とする
フィリピン	フィリピン革命（1896年） ・アギナルドがカティプーナンを組織し、勃発 ・独立を宣言するが、アメリカが干渉、米比戦争が勃発
対日本	
朝鮮	反日義兵闘争 ・日露戦争後の日本の進出に対して生起
帝国主義の利権が錯綜する地域の運動	
イラン	イラン立憲革命（1905年）
トルコ	青年トルコ革命（1908年）
中国	義和団事件（1900年） ・山東半島でドイツ進出とキリスト教布教に対する反発から蜂起、北京に侵入 ・清朝はこれを支持し、8カ国共同出兵をまねく 中国同盟会の結成（1905年） ・東京で孫文らによって結成、反清運動を展開
社会主義運動	
ロシア	ロシア社会民主労働党の結成（1898年） 第1次ロシア革命（1905年） ・日露戦争中に勃発し、ソヴィエトが結成される

（後略）』と」

いわゆる脱亜論である。日露戦争に勝利したのち、日本はアジアを切り捨て、欧米の仲間に加わる道を選んだ。そして、１９１０年、アジアが崩壊していくなかで韓国を併合したのである。

宮下の授業を思い出しながら、純也は次のように表にまとめ、手を挙げた。あとはこれを文章にして書けばよいだけだ（図表５‐１）。

さて、純也の構成メモからは、きっと合格するだけの点数はもらえるはずだ。市販の過去問題集の解答も、ほとんどがこういった解答になっている。もちろん、ここまでできるだけでも十分すごいことなのだ。だが、東大の問いはそう簡単ではない。

多くの生徒が純也と同じような構成メモを書き上げていた一方で、京子だけは別のことを考えていた。京子は問題文の一部に違和感を覚えていたのである。

意味深な「時間」の指定

この問題は、一見すると国別に運動を列挙していけばいいだけの問題に見える。無論「空間（地域）」は重要であるのは間違いない。しかし、だからこそ問題で制限された「時間

(時期)」にはそれほど意識が向かない。しかも1行目で「19世紀末から20世紀初期にかけて」と大まかな時期を提示しているため、3行目の「１８９４年から１９１０年にいたる」という細かな年号にはより注意が向かない。東大にしては珍しく少し姑息さの見える問題である。

だが、京子は、純也と同じような構成メモを完成させ、挙手しようとした瞬間、この「１８９４年」に目を留めたのである。

(日清戦争の年だ……)

彼女はこのあまりに具体的な年号に初めて違和感を覚えた。普通、時間の制限はざっくりとしたキリのいい年号になるものだからだ。そこで気にも留めていなかったもう一方の「１９１０年」にも目は引き寄せられた。

１９１０年。こちらはキリのいい年号だ。ゆえに気がつかなかったが、「１８９４年」が日清戦争を指すというのなら、この年号は意味をもってくる。これは韓国併合の年だ。どういうことなのか。違和感を覚えてから、彼女の手はピタリと止まっていた。

(おかしい。これは何かある)

時計に目をやった。時間はまだある。それにまだ原稿用紙に書き始めたわけではない。京子は一度自分を落ち着かせ、何度も読んだはずの問題文を再び読み返した。「いき詰まったら問題文」である。

（19世紀末から20世紀初期にかけて、いくつかの戦争が起こり……）

私たちは文章を読む時、いや、何事においても、主観で物事に対峙している。けれども、そういった固定された見方を排除してみると今まで見えていなかったものが見えてくるものだ。京子は、それまでとは異なった文章の読み方ができ始めていた。

（戦争？　日清戦争のことだろうか。戦争といえば、構成メモには日露戦争の影響を受けた運動が5つも書かれている。そして韓国併合まで……）

走り書きされた構成メモには、その他にもアフリカ、そしてフィリピンやキューバの運動もあったが、よく見ればいずれも戦争に絡むものばかりである。京子はまず運動を戦争に絡めなければならないことに気がついた。時間が迫り、焦りが募るなか、京子の頭は猛然と回転し始める。

（中国の義和団事件は8カ国共同出兵で鎮圧された、フィリピンは革命を起こして独立を宣言したけど米比戦争でアメリカに抑えられた、キューバは独立運動をアメリカが支援して米西戦争が起きた……）

一つ一つ、運動と戦争の結びつきを明らかにしていく。ひと通り書き終えると京子のメモは次のようになっていた。

都市	国家	運動	戦争
・東京	日本	中国同盟会の結成	日露戦争
・漢城（ソウル）	韓国	反日義兵闘争	日露戦争
・北京	中国	義和団事件	8カ国共同出兵
・マニラ	フィリピン	フィリピン革命	米比戦争
・カルカッタ	インド	インド国民会議カルカッタ大会	日露戦争
・テヘラン	イラン	イラン立憲革命	日露戦争
・イスタンブル	トルコ	青年トルコ革命	日露戦争
・ハルトゥーム	スーダン	マフディー戦争	マフディー戦争
・ペテルブルク	ロシア	第1次ロシア革命	日露戦争
・ハバナ	キューバ	独立運動	米西戦争

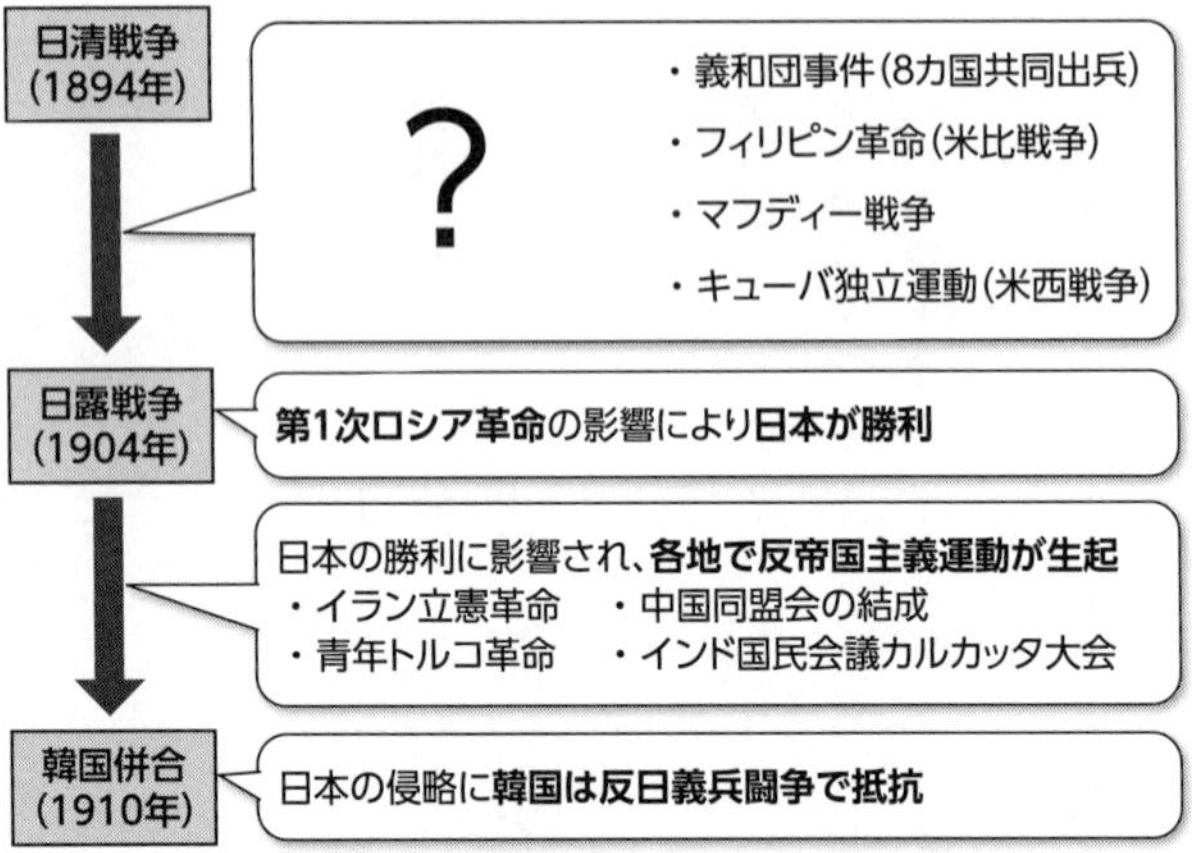

図表5-2　日清戦争と日露戦争をつなぐ「物語」とは？

各国の運動をつなぐ「物語」

しかし、それでもまだ足りないものがある。これでは国別に戦争と運動を列挙しているだけだ。問題文は「日清戦争から日露戦争を経て、韓国併合まで」という時間の流れを指定しているわけだが、そこには明らかに「物語」がある。要するに、この問題は「空間別」でまとめるのではなく、「時間軸」でまとめなければいけないのである。けれども、そのためには「物語」が必要だ。つまりは「日清戦争から日露戦争を経て、韓国併合まで」と「運動」の間に何か関係があり、その結びつきを見出さなければならない。だが、それが京子にはまだ見えていなかった。

（日清戦争から日露戦争を経て、韓国併合まで……日露戦争から韓国併合までは結びつきが見える〈図表5‐2〉。日露戦争が勃発して、戦中に「第1次ロシア革命」が起きたから日本は勝利して、戦後に、日本の勝利に影響を受けた運動が生起し、日本の侵略に対して韓国は「反日義兵闘争」を行い、それでも日本は韓国併合に至った、とすればいいのね。けど、日清戦争から日露戦争までと運動の結びつきは、どうすればいいんだろう）

日清、日露、韓国併合……頭のなかで幾度となくこの単語が浮かんでは消えを繰り返す。もはや東大との一騎打ちになっていた。解答が完成されれば新しい景色が見えるはずだ。京子の目はメモの文字を素早く辿る。そして1つの事件で、止まった。

（義和団事件……）

何かを追究している人であれば、どんな分野であれ「知識と知識がつながる瞬間」に一種の快感を覚えたことがあるだろう。京子は今それを感じていた。

（義和団事件に対する8カ国共同出兵といえば、朝鮮に野心をもつ日本とロシアが大軍を派遣したのよね。けど、アメリカやイギリスは大軍を派遣できなかった。アメリカは米西戦争や米比戦争、イギリスはマフディー戦争や南ア戦争に足をとられ、て……）

口角の片方が上がり、ゆっくりと京子のシャーペンが動き始めた。列挙された単語にスト

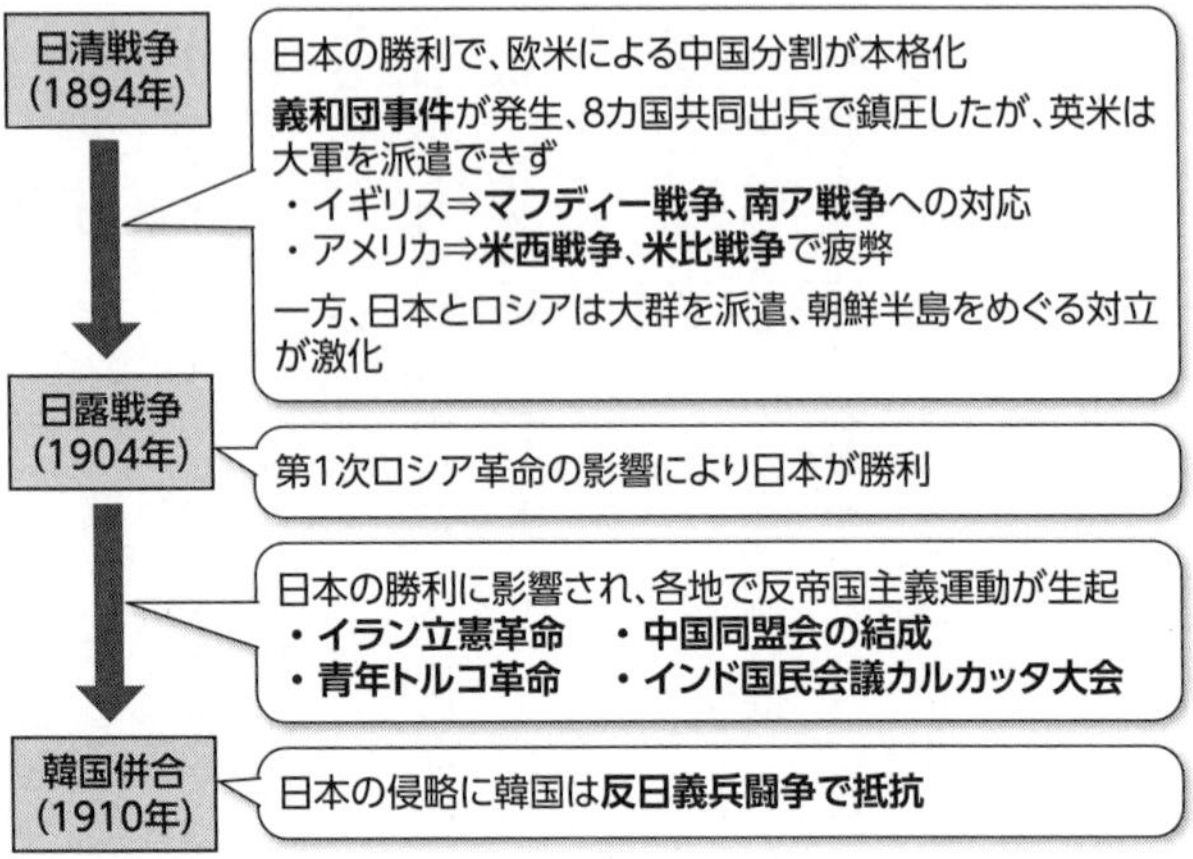

図表5-3　「物語」の中心にいた国は日本だった！

ーリーを与えたのは反帝国主義運動の1つ「義和団事件」だった。

主人公は日本だった！

図表5-3を参照しながら読んでもらいたい。

日清戦争（1894年）の日本の勝利は、アジア・アフリカに力を与えるとともに、欧米列強にも力を与えた。それまで、欧米列強は東アジアの大国である中国（清朝）を「眠れる獅子」として、その潜在能力を恐れていた。だからこそ、中国への侵略はイギリスが中心となっていたといえる。しかし、大国であるはずの中国が小国である日本に敗れたというなら恐れる必要はない。以降、欧米列強は警戒心を解いて中国への進出を本格化させ、中国は半植民地化していくことになった（図表5－4）。

　こういった動きに対する抵抗として「義和団事件」は起きたのだった。義和団は中国の白蓮《びやくれん》教系の秘密結社である。当初、この義和団による排外運動は山東半島に進出したドイツに対して引き起こされたものであった。しかし、この運動を清朝が支援すると、勢いは拡大して他の欧米諸国にも被害が及んだ。列強は8カ国共同出兵によって義和団の鎮圧に乗り出したのである（図表5－5）。

　この時、大軍を派遣できなかった国が2つあった。アメリカとイギリスである。アメリカは、米西戦争とそれに続く米比戦争によって疲弊していたからである。イギリスは、スーダンのマフディー戦争や、南ア戦争に足をとられており、遠い極東に派兵する余裕がなかったためである。

図表5-4　中国分割

　逆にここで大軍を派遣したのは日本とロシアであった。既に朝鮮半島をめぐって対立関係にあった日本とロシアは、互いを牽制《けんせい》するためにも大軍を派遣する必要があったのである。義和団事件の

図表5-5　8カ国共同出兵

左からイギリス、アメリカ、ロシア、イギリス領インド、ドイツ、フランス、オーストリア、イタリア、日本。

鎮圧が成功すると各国は兵を撤退させた。だが、ここでロシアだけが兵を撤退させなかった。そして兵を朝鮮半島へと向け始めたのである。ここで日本の生命線である朝鮮半島は危機に陥り、日露戦争は勃発した（１９０４年）。日清戦争から日露戦争へと物語をつなげるのは義和団事件だったのである。

　日露戦争は、戦中に第1次ロシア革命が起きたことも幸いして日本の劇的な勝利に終わった。この日本の勝利はアジアに多大な影響を与えたことは既に触れた通りである。孫文は中国同盟会を東京で結成、ベトナムは日本への留学運動である東遊《ドンズー》運動を展開、インドでは国民会議カルカッタ大会が開催され、トルコでは青年トルコ革命、イランでもイラン立憲革命が起こった。日本に続けとばかりに各地で運動が起きたのである。

　戦後、朝鮮半島へ進出した日本に対しては、反日義兵闘争と呼ばれる激しい抵抗が起こった。安重根《アンジュングン》による伊藤博文暗殺もこの頃である。しかし、日本は韓国を併合するに至った

（1910年）。

結局、この問題は「日本が朝鮮へ進出する過程で、どういった戦争が起きて、どういった抵抗が起きていたのか」を問う問題だったということだ。要するに主人公は「日本」なのだ。

そして読み返してみれば、確かに問題文はきちんとそれを示唆しているのである。

京子は手を挙げ、宮下に構成メモ（図表5‐6）を見せると、原稿用紙を手渡された。

「ここまでできる人はなかなかいないですよ」

宮下も京子のできに驚いていた。

図表5-6　反帝国主義運動の中心にいた日本
（京子の構成メモ）

戦争と反帝国主義運動	
日清戦争 （1894年）	日本勝利 欧米列強による中国分割が加速
日清 戦争後	義和団事件（1900年） ・当初、ドイツの山東半島進出に対して起きた排外運動 ・清朝が支援 8カ国共同出兵による鎮圧 ・アメリカは大軍を派遣できず ⇒米西戦争ののち、アギナルドによるフィリピン革命 ⇒それに続く米比戦争 ⇒ホセ・マルティによる独立運動 ・イギリスも大軍を派遣できず ⇒スーダンのマフディー戦争やブール人による南ア戦争 ・日本とロシアは大軍を派遣 ⇒朝鮮半島に野心をもち、互いに牽制、対立を深める
日露戦争 （1904年）	第1次ロシア革命 ・戦中にロシア国内で勃発、戦争続行が困難になる 日本勝利
日露 戦争後	アジア各地の反帝国主義運動に影響 ・中国：孫文が中国同盟会を東京で結成 ・ベトナム：ファン・ボイ・チャウが東遊運動を展開 ・インド：国民会議カルカッタ大会で四大綱領を採択 ・イラン：イラン立憲革命が勃発 ・トルコ：青年トルコ革命
韓国併合 （1910年）	反日義兵闘争 ・日本の進出に対して生起 安重根による伊藤博文暗殺

解答

1894年、日清戦争に日本が勝利すると、欧米列強による中国分割が加速、そのなかで義和団事件が起こった。当初、これはドイツの山東半島進出に対して起こされた排外運動であったが、清朝の支援も加わって被害が拡大すると、欧米は8カ国共同出兵による鎮圧に乗り出した。しかし、ここでアメリカとイギリスは大軍を派遣できなかった。アメリカは米西戦争に勝利したが、フィリピンのアギナルドらによるフィリピン革命と、それに続く米比戦争、さらにキューバのホセ・マルティらの指導する独立運動の対応に苦慮しており、イギリスはスーダンのマフディー戦争やブール人による南ア戦争に足をとられていたためである。一方、朝鮮半島に野心をもつ日本とロシアは大軍を派遣して牽制し合った。両国は朝鮮半島をめぐって対立を深め、1904年には日露戦争を引き起こした。戦中にロシア国内で第1次ロシア革命が勃発、戦争続行が困難になると、最終的に日本が勝利した。戦後、これはアジア各地の反帝国主義運動に大きな影響を与えた。東京では孫文が中国同盟会を結成、ベトナムではファン・ボイ・チャウらが東遊運動を展開、インドでは国民会議カルカッタ大会が開催されて四大綱領を採択、イランでは立憲革命、トルコでも青年トルコ革命が勃発した。朝鮮半島では、日本の進出に対して反日義兵闘争が生起、安重根による伊藤博文暗殺事件も起きたが、日本は1910年に韓国を併合するに至った。（599字）

第6章　技術革新に支えられた「抵抗」

抵抗の裏にあったもの

東大の問題は、特に「読解力」を必要とする、ということは既に伝えた。

東大の問題は論理が緻密に組まれており、的確に読まなければ、指示された論理に従って事象を構成していくことができない。だが、高校生にとってその論理を読解するのは非常に難しい。それは「客観性」と「相対化」が求められるからである。読者も、学生の時に国語の成績が良かったり悪かったりしたことがあるだろう。それは、たいていは主観が先行することが理由である。高校生は、まだまだ客観的、相対的にものごとをとらえられない年齢であるため、「私はこう思う」といった主観的、絶対的な読み方をしてしまう。ゆえに、著者の主張と学生の主張がたまたま一致すれば点数が良くなり、一致しないと点数が悪くなってしまうのである。要するに、壁は若さというなんとも酷なものなのである。

「イギリスを中心に、世界が欧米の秩序に組み込まれ、それに対して各地では様々な抵抗が起こりました。そのなかで、日本が特別な役割を果たし、中国が大きな変容を迫られたことは見てきた通りですね。この問題も同様に『抵抗』に関する問題です。東大の問題は『新しいこと』に気づかせるんでしたね。この問題は『侵略と抵抗』の時代が技術革新に支えられていたことを浮き彫りにするものです。では問題を配りましょう。しっかりと問題の論理を読解してください。構成メモができたら挙手としましょうか」

問題（2003年）

私たちは、情報革命の時代に生きており、世界の一体化は、ますます急速に進行している。人や物がひんぱんに往きかうだけでなく、情報はほとんど瞬時に全世界へ伝えられる。この背後には、運輸・通信技術の飛躍的な進歩があると言えよう。

歴史を振り返ると、運輸・通信手段の新展開が、大きな役割を果たした例は少なくない。特に、19世紀半ばから20世紀初頭にかけて、有線・無線の電信、電話、写真機、映画などの実用化がもたらされ、視聴覚メディアの革命も起こった。またこれらの技術革新は、欧米諸国がアジア・アフリカに侵略の手を伸ばしていく背景としても注目される。例えば、ロイター通信社は、世界の情報をイギリスに集め、大英帝国の海外発展を支えることになった。一方で、世界中で共有される情報や、交通手段の発展によって加速された人の移動は、各地の民族意識を刺激する要因ともなった。

運輸・通信手段の発展が、アジア・アフリカの植民地化をうながし、各地の民族意識を高めたことについて、下記の9つの語句を必ず1回は用いながら、解答欄（イ）を用いて17行以内で論述しなさい。

スエズ運河　汽船　バグダード鉄道　モールス信号　マルコーニ
義和団　日露戦争　イラン立憲革命　ガンディー

※文中の傍線は筆者の判断で重要と思われるところに付した。なお、1行は30字。

軍艦と無線の衝撃

（書くべきことは4つ、いや、厳密にいえば8つね）

京子は問題文を読み終えると、そう結論した。

運輸の分野では、第1次産業革命（18世紀後半〜19世紀前半）によって蒸気機関が動力として発明された。蒸気機関でできる運動は往復運動であったため、当初は排水ポンプなどに利用された。しかし、有名なワットが蒸気機関の運動を回転運動へ応用することを可能にした。こうして蒸気機関が車輪とスクリューを回転させるようになり、陸の蒸気機関車（鉄道）と海の蒸気船（汽船）が登場したのである。アヘン戦争で行われた海戦では、イギリスの軍艦と中国（清朝）の帆船が衝突して、戦力の差を見せつけることになった。

通信の分野では、第2次産業革命（１８７０年代）によって電気が動力として導入され、モールス信号や無線、そして電話が発明された。問題文にあるように、世界初の通信社としてイギリスのロイター通信社も設立された。イギリスの支配するインドで大反乱が起こるとすぐさまそれを本国に伝え、迅速な鎮圧に貢献したことで知られている。要するに、欧米諸国で発明された技術は、欧米諸国による侵略に大いに利用されたのである。

だが欧米諸国による侵略だけが技術革新に支えられていたのではない。問題文ではこうも言っている。「一方で、世界中で共有される情報や、交通手段の発展によって加速された人の移動は、各地の民族意識を刺激する要因ともなった」と。この問題は、そういった時代の裏側にも目を向けさせる問題でもあった。欧米諸国が生み出した運輸と通信の技術革新は、従属地域によって逆手にとられ、抵抗にも利用されていたというのである。先述した、「○○とされているけど実は違う見方もある」という、多面的な視点を必要とする問題である。

書くべきことは8つ

問題文は「制限」であることを忘れてはならない。第2段落の文を読むと多くの条件が提示されていることがわかる。この問題は書くべきことがいくつあるかを見抜けるかどうかで全てが決まる。その意味では、京子は勝ったも同然だった。

第3段落の「運輸・通信手段の発展が、アジア・アフリカの植民地化をうながし、各地の民族意識を高めたことについて」という文章を読んで、京子の頭の中は次のように論理が整理されていた。

・運輸の発展×アジア・アフリカの植民地化の促進
・運輸の発展×アジア・アフリカの民族意識の刺激
・通信の発展×アジア・アフリカの植民地化の促進

・通信の発展×アジア・アフリカの民族意識の刺激

抽象的な論理の枠組みはわかった。京子はすぐに構成メモの表を書く。埋めなければならないマスは8つである。では、それぞれのマスにはどんな事象をあてはめていけばよいのか。それは指定語句を参照しなければならない。

侵略と抵抗を変えた技術革新

書くべきことは8つなのだから、指定語句は8つのマスのどこかにあてはまるはずである。運輸のマスなのか、通信のマスなのか。植民地化（侵略）のマスなのか、民族意識（抵抗）のマスなのか。おそらく勉強していれば、当てはめること自体は誰でもできることで、深い知識は必要としない。

（スエズ運河は運輸、それもイギリスが所有する運河だから、植民地化のほうの運輸ね）

あとは論理的に答えを出していくだけだ。イギリスがスエズ運河を開通させたことが原因で、侵略がどのように行われたのか。論理の枠組みが設定されれば、論述も単純な一問一答になる。

（エジプトにスエズ運河があって、それはイギリス３Ｃ政策の重要な拠点。インドに向かう時間が短縮されたり、兵力の動員を容易にしたりして、植民地化が促されたのね）

　続いて、すぐに答えが出そうなのはバグダード鉄道である。

（バグダード鉄道も運輸、これはドイツが敷設《ふせつ》した鉄道だから、やっぱり植民地化のほうの運輸かな）

　では、ドイツがバグダード鉄道を敷設したことが原因で、侵略がどのように行われたのか。

（３Ｂ政策……と）

　次々に表が埋められていく。イギリスは３Ｃ政策、ドイツは３Ｂ政策を展開して、両国は第１次世界大戦前に厳しく対立した（図表６‐１）。

　モールス信号は通信、マルコーニも無線を発明した人物なので通信で使用するはずだ。通信に関しては、わざわざ問題文に「ロイター通信社は、世界の情報をイギリスに集め、大英帝国の海外発展を支えることになった」と、具体例が書いてある。

（そうだ。ロイター通信社がインド大反乱を本国にいち早く伝えて、迅速な鎮圧を支えたんだった）

　問題文は続けて「一方で、世界中で共有される情報は各地の民族意識を刺激する要因とも

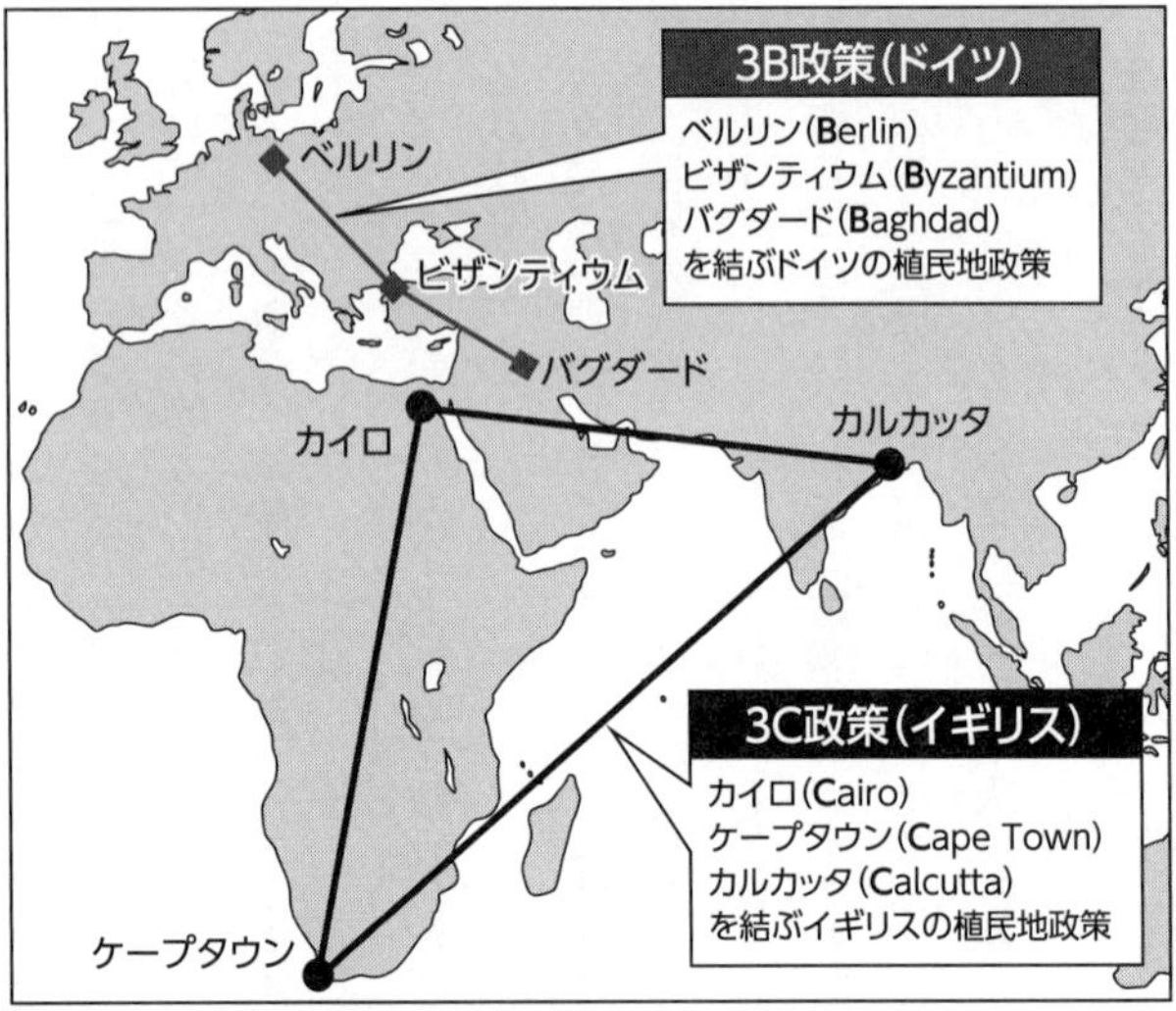

図表6-1　3B政策と3C政策

なった」とも言っている。こういった視点を京子はもったことがなかったが、東大は、答案を完成させて「新しいこと」に気づかせる。1985年の問題（第5章）を解いた京子にとって、使い方は明らかだった。指定語句には日露戦争と、その影響を受けたイラン立憲革命がある。

（日露戦争の日本の勝利が世界中で共有されて、アジアの民族運動を刺激したのよね）

　表の空欄は知識がどんどん埋まっていく（図表6-2）。

　この時点で空欄のままとなったのは「運輸の発展×民族意識」だけであった。

図表6-2　技術革新が支えた侵略と抵抗（京子の途中の構成メモ）

運輸×植民地化		運輸×民族意識	
運輸の発達 （原因）	スエズ運河 ・アジアに至る航路が短縮され、兵力の動員も容易になった バグダード鉄道	運輸の発達 （原因）	
植民地化	イギリスがインド支配に利用する ドイツが3B政策に利用し中東に進出	民族意識	
通信×植民地化		**通信と民族意識**	
通信の発達 （原因）	モールスがモールス信号を発明 マルコーニが無線電信を発明 ・情報の伝達速度を迅速にした	通信の発達 （原因）	モールスがモールス信号を発明 マルコーニが無線電信を発明 ・情報の伝達速度を迅速にした
植民地化	インド大反乱の鎮圧 ・イギリスのロイター通信社が植民地の情報を迅速に本国に伝達	民族意識	イラン立憲革命や青年トルコ革命 ・日露戦争の日本の勝利の情報が世界中で共有される ・アジアの民族運動を刺激した

あと1つ

ここで京子の目は残る指定語句に向けられた。指定語句で未だに使い方が決定されていないのは、「汽船」「義和団」「ガンディー」の3つだ。「汽船」はどうとでも使えるが、「義和団」と「ガンディー」は判断が必要そうだ。義和団事件は8カ国共同出兵で鎮圧された。これは兵力の輸送という意味では「運輸の発展×植民地化」で使用できる。ただし、情報が世界で共有されたからこそ鎮圧ができたわけだから「通信の発展×植民地化」でも使用できそうだ。だが、今欲しいのは「運輸の発展×民族意識」である。

(そうか、義和団事件では、列強によって敷設された鉄道が侵略の象徴となっていたから中国の人々の憎悪の対象になっていたんだっけ。これは「運輸の発展×民族意識」に使える!)

京子はすぐに表に書こうとした。しかし、ここで問題文との違和感に気づく。

(いや……問題文には、「加速された人の移動が各地の民族意識を刺激した」と書いてある。鉄道が侵略の象徴であったため、というのは、「加速された人の移動」に合わない……これじゃだめだ)

京子の手が止まる。ただ焦ってはいなかった。

これまでの授業を頭のなかで辿る。すると、京子は別の指定語句に答えの糸口を見つけた。

(ガンディーか)

彼はイギリスに留学して欧米の思想に触れ、南アフリカでは弁護士として活躍、そして現地で人種差別を経験した。それが反英闘争の動機となったのである。これは「加速された人の移動」が民族意識を高めたといえる。

これで全ての表が埋まった（図表6‐3）。義和団の使い方は「運輸の発展×植民地化」でも「通信の発展×植民地化」でもどちらでもよい。京子は一番に手を挙げて宮下を呼んだ。どうやら正解のようである。京子の論理をとらえる読解力が正解に導いたといえよう。

図表6-3　加速された人の移動が民族意識を高めた
（京子の最終的な構成メモ）

運輸×植民地化		運輸×民族意識	
運輸の発達 （原因）	スエズ運河 ・アジアに至る航路が短縮され、兵力の動員も容易になった バグダード鉄道	**運輸の発達 （原因）**	**汽船の発達** ・人の移動が加速
植民地化	イギリスのインド支配に利用される ドイツが3B政策に利用し中東に進出	**民族意識**	**ガンディーの留学・就業** ・インドからイギリスへ留学、さらに南アフリカで就業 ・独立運動の思想を形成した
通信×植民地化		**通信と民族意識**	
通信の発達 （原因）	モールスがモールス信号を発明 マルコーニが無線電信を発明 ・情報の伝達速度を迅速にした	通信の発達 （原因）	モールスがモールス信号を発明 マルコーニが無線電信を発明 ・情報の伝達速度を迅速にした
植民地化	インド大反乱の鎮圧 ・イギリスのロイター通信社が植民地の情報を迅速に本国に伝達 **8カ国共同出兵** **・義和団事件も迅速に各国へと伝わった**	民族意識	イラン立憲革命や青年トルコ革命 ・日露戦争の日本の勝利の情報が世界中で共有される ・アジアの民族運動を刺激した

解答

運輸技術の発達は本国と植民地間の移動時間を短縮、兵力の輸送も容易にして、進出を支えた。イギリスが領有したスエズ運河は３Ｃ政策に利用され、ドイツのバグダード鉄道は中東への進出と３Ｂ政策に利用された。また、通信技術の発達も本国と植民地の情報を結びつけ、支配を支えた。モールスの発明したモールス信号やマルコーニの発明した無線電信は、情報の伝達速度を迅速にし、本国に植民地の情報をすばやく伝えられるようになった。例えば、イギリスのロイター通信社はインド大反乱をいち早く本国に伝え、鎮圧に貢献した。あるいは、義和団事件でも、列強８カ国は情報を共有しながら共同出兵を行って鎮圧した。一方で、これらの技術はアジア・アフリカの民族意識を高めることにもなった。汽船航路の発達は、西欧諸国への留学や就業を可能にした。ガンディーはイギリスに留学し、南アフリカで活動するなかで独立運動の思想を形成した。また、日露戦争での日本の勝利は全世界に伝えられ、青年トルコ革命やイラン立憲革命など、アジア各地の民族運動を刺激した。（４４７字）

第7章　民衆と指導者たちの国際体験

民族運動の裏にあったもの

東大の問題は他の難関国立大学の問題に比べ、特に「思考力」を必要とする。歴史というのは、多くの事象が論理によって成り立っている。そして、多くの具体的な事象が抽象的な枠組みによって整理されることで、様々な結論が導き出される。思考するというのは、具体的なものを抽象化する、抽象的なものを具体化する、という作業によって結論を導き出していくことをいう。その際に重要なのは、「語彙力」である。したがって、思考の力は言葉を知っているかどうかで決まる、ということになる。

「この問題は『侵略と抵抗』の時代、『抵抗』が国際体験に支えられていたことを浮き彫りにします。国際体験、言い換えれば国家間の『移動』ですね。皆さんも、将来、海外留学や海外就業を経験することでしょう。そのなかで多くのことに気づいていくはずです。では、少し長いですが、まず問題文と資料文を読んでみましょう」

この問題は１９８２年と、40年ほど前の問題である。けれども、問題の質としては、現在出題されたとしても第一級品であるといえよう。

問題（1982年）

下記の文章（A）～（F）は、帝国主義の時代に、アジア・アフリカの民族運動が成長していくとき、植民地化されたアジア・アフリカの諸地域の民衆が、―指導者だけでなく―国際的な移動や交流をすでに盛んにおこなっていたということを示している。しかも、その移動や交流には、この時代独特の姿を見ることができる。そのような移動や交流が地域を越えて大規模におこったことの原因と意義とについて、自分の考えをまとめ、600字以内で述べよ。解答は答案用紙の（イ）の欄に記入せよ。

（A）兄を頼ってハワイに渡りホノルルの高校で学んだ孫文は、香港などで医学を修め、ポルトガル領マカオで開業したが、やがてそこを追われた。日清戦争直後、華僑の援助を得て広州に挙兵したが失敗し、アメリカ、ヨーロッパを経て日本に亡命した。その頃これら各地には中国人の社会ができていた。中国革命同盟会の基本思想となる三民主義は、孫文のこのような遍歴の中で構想された。

(B)イギリスに留学して法律を学び弁護士となったガンディーは、１８９３年から20年間も南アフリカにあって、その地のインド人の地位向上のために活動した。彼の非暴力抵抗の思想の原型はこの活動の中でうみ出された。彼が帰国するのは第1次世界大戦の開始後であるが、この戦争では１５０万人ものインド人兵士が西部戦線にかり出された。

(C)少年時代から独立運動に身を投じたホー＝チミンは、官憲の追跡を逃れて、船員となってヴェトナムを脱出した。ヨーロッパに渡った彼はフランス社会党員となり、１９２０年フランス共産党が成立するとただちにこれに加入、モスクワを経て中国に入り、中国革命に参加した。この間、在外ヴェトナム人の組織化をすすめ、被圧迫民族解放同盟を結成するなどして、国際体験を深めた。

（D）カスピ海に面するアゼルバイジャンの都市バクーは、19世紀初めロシアの支配下にあったが、そこで産油される石油のため、20世紀初めには多数の東洋人労働者を集める国際色豊かな町となった。１９０６年のイラン立憲革命でも、またレザー＝シャーのパフレヴィー朝創始に先立つ北部イランの革命運動でも、バクー在住のイラン人の役割は大きかった。

（E）20世紀初めのアフリカでは、各地でキリスト教の独立教会をつくろうとする黒人たちの動きが、植民地当局に対する反抗運動へと発展していた。これらと手を結ぼうとしたジャマイカ出身のマーカス＝カーヴェイは、アメリカの黒人に向かっては、アフリカに帰って黒人のアフリカをつくろうと呼びかけた。アフリカ、西インド諸島、アメリカ合衆国から代表が集まった第1回パン＝アフリカ会議（１９１９年、パリ）は、アフリカ人の政治的独立をめざす決議をおこなった。

（F）スエズ運河開通後、紅海経由の定期航路が開設されると、東南アジアのイスラム教徒たちはそれまでよりも早く、かつ安く聖地への巡礼に行くことができるようになった。メッカには数年にわたって滞留するジャワ・スマトラ・マレー半島などの出身者の集団が出現し、本国と連絡を取りつつ、ヨーロッパの支配に反抗するイスラム教徒のジハード（聖戦）のための連帯を呼びかけた。19世紀末から20世紀初めにかけてのインドネシア各地でおこった反植民地闘争には、巡礼から帰った宗教指導者たちが深い関わりを持っていた。

※文中の傍線は筆者の判断で重要と思われるところに付した。

知識はいらないが……

生徒が問題を読み終えたのを確認して、宮下は話し始めた。

「これは難しい問題ですね。この問題に知識はほとんどいりません。具体的な事象を抽象的に表現して結論を出していく力が必要になります。言い換えれば、アウトプットに力点が置かれた問題です。昨今の教育改革が目指すのもこういったことができるようにすることでしょう」

第4章で紹介した問題を振り返ってほしい。資料を読み解かせる２０２０年の問題は、まさにこの教育改革の流れを受けて出題されたと想像できる。だが、今紹介した１９８２年の問題も同じ質のものとして出題されている。そう考えると、昨今の流れは発展ではなく、回帰のようにも思えてくる。

最近の学生は、時代の変化を敏感に察知して、インプットよりもアウトプットを重視する傾向がある。従来の詰め込み型の教育や勉強が古い時代のものであるとわかっているのである。だが、そもそもインプットとアウトプットはともに重要である。インプットしても、ただ覚えただけでは意味がない。逆にアウトプットの力があっても、インプットのないアウトプットなど成り立つはずもない。しかし学生は、安易にインプットは悪、インプットしても現実に役立てなければ意味がない、アウトプットは善、もっと実用的で実践的に、と考えがちである。ただ、こういった知識はいらないけれども結論も簡単には出ない問題に直面すると、その安易さに気づかされる。

移動の「原因」と「意義」

「まず、資料の（A）～（F）を2つのグループに分けましょうか。明らかに（A）～

（C）の資料と（D）～（F）の資料には違いがありますね」

ほとんどの生徒は下を向き考え込んでいたが、京子にはすぐにわかったようだった。それは問題文に書かれており、京子の読解力はそれを見落としていなかった。「植民地化されたアジア・アフリカの諸地域の民衆が、——指導者だけでなく——国際的な移動や交流をすでに盛んにおこなっていた」。やはり東大の問題には、注意力・洞察力ともいえる読解力が必要なのである。

「（A）～（C）は指導者の移動で、（D）～（F）は民衆の移動です」

京子の発言で教室の空気が変わったのが宮下にはわかった。こういう的を射たキレのある発言に対する周囲の驚きは、見えない体感となって感じられるものだ。オンライン授業では感じとれないものである。そして、実はそれこそが教育の空間には必須のものである。

「その通り。指導者の移動と民衆の移動に分けられますね」

生徒たちは頷いた。

「帝国主義時代には移動が頻繁に行われ、それが運輸の技術革新に支えられていたこと、そしてそれは侵略にも抵抗にも役立っていたということは既に確認しましたね。今回は特に抵抗のほうの移動を膨らませた問題のようです。では、それに関して、問われていることは何ですか？」

これは皆読み取れているようだ。何人かの生徒の声が重なる。

「原因と意義です」

宮下は満足した表情を浮かべた。

「では、移動の『原因』についてですが、『移民』について考える時に重要な考え方があったと思いますが、何だったでしょうか？」

これも皆覚えているようだ。

「プッシュ要因とプル要因です」

宮下は頷いた。

移民についての重要な考え方。それは「プッシュ要因」と「プル要因」である。移動には移動元と移動先がある。移動元を出る理由が「プッシュ要因」であり、それは何かネガティブなことだ。何か嫌なことがあるから、その地を出るのである。一方、移動先に入る理由は「プル要因」である。それは何かポジティブなことだ。何か良いことがあるから、その地に入るというわけだ。移動の目的といってもよい。問題文の問い、すなわち「原因」は、これらを整理すればよい。

「もう一つは『意義』ですね。それは問題文に書いてありますよ。移動や交流があった時、そこに何が見られたと書いてありますか」

生徒たちはサッと問題文に目を移す。確かに、問題文にそれは書いてあった。しかし、「意義は○○である」と直接的に書かれていないので、それを見出すのは簡単なようで難しい。

「『アジア・アフリカの民族運動が成長』です」

生徒たちの目はまたも京子に向けられ、そして宮下へと向けられた。

「素晴らしい。では、問題文には『アジア・アフリカの民族運動が成長していくとき』と書いてありますね。では、指導者は誰か、民衆はどういった人々か、そしてプッシュ要因とプル要因、さらにそのなかで民族運動はどのように成長したか、考えることはたくさんありますね。構成メモに整理しましょう。できたら挙手でお願いします」

生徒たちは一斉に整理し始めた。

指導者の移動の共通点

京子は（A）～（C）の指導者の移動から整理していった。

（A）の孫文（図表7-1A）はホノルル、香港、ポルトガル領マカオへと移動していて、さらにアメリカ、ヨーロッパ、日本へと移動している。ずいぶんと世界を転々としているものだ。京子はプル要因、すなわち移動の目的を次のように抽象化した。

（A）孫文

・ホノルルの高校で学んだ　→　留学
・香港などで医学を修め　→　留学
・ポルトガル領マカオで開業　→　就業
・日本に亡命　→　亡命

移動の目的（原因）は、留学、就業、そして亡命のようだ。そうした移動のなかで辛亥《しんがい》革命の理念たる三民主義を構想していったことがわかる。三民主義とは「民族独立」「民権伸張」「民生安定」の3つを総称したものである。

ではつぎにガンディー（図表7-1B）はどうか。

（B）ガンディー
・イギリスに留学　↓　留学
・南アフリカにあって（中略）活動　↓　就業

移動の目的（原因）は留学、就業だろう。やはりそのなかで、反英闘争たる非暴力・不服従運動の思想を形成していったようだ。孫文と共通するものがある。そして最後はホー＝チミン（図表7‐1C）である。

（C）ホー＝チミン
・ベトナムを脱出（中略）ヨーロッパに渡った　↓　亡命

移動の目的（原因）は亡命だ。ホー＝チミンも民族運動の基盤となった共産主義思想を移動のなかで形成したようだ。

京子はさらりとやってのけているが、3人のそれぞれの具体的な動きに共通性を見出し、「留学」「就業」「亡命」と抽象化するのは容易ではない。京子の「思考力」「語彙力」が光る。

図表7-1　3人の指導者たち

そして京子はもう1つ、指導者の体験に共通性があることに気がついた。

（3人とも、移動先で出身国が同じ人〈同国人〉と関わっているようね）

京子はシャーペンをくるくると回しながら、どういう意味があるのかを考えた。そして再び問題文に目をやった。「いき詰まったら問題文」である。

（植民地化されたアジア・アフリカの諸地域の民衆が、—指導者だけでなく—国際的な移動や交流をすでに盛んにおこなっていた……）

京子の意識が指導者だけでなく「民衆の移動」にも向けられる。

（なるほど。現地には既に同国人の社会があったのか。そこに指導者がやってきて、現地同国人の地位の低さを目の当たりにして、思想を形成していったということかな）

京子は孫文やガンディー、そしてホー＝チミンらの憤りを想像した。特に、ガンディーの体験は授業で宮下から聞いた覚えがある。

「ガンディーは、南アフリカの列車に乗っていた時に白人から差別を受けました。弁護士として一等車に乗っていたところ、車掌さんにインド人であることを理由に貨物車に移れと言われたんです。人間ではなく貨物の扱いをされたということです。ガンディーは抵抗しましたが、列車の外に放り出されてしまいます。のちにガンディーは、この体験が自分の原点であると語っています」

民衆の国際体験の共通点と違い

続いて京子は（D）〜（F）の資料に目を移した。

（D）はアゼルバイジャンの都市バクーに移動してきた多くの東洋人労働者の話である。目的は就業。そしてバクーに移動して労働に従事していたイラン人は、イランの革命運動に重要な役割を果たしたという。

（E）は少し読み取りづらい。移動だけに注目すると、アメリカ大陸に移動させられた黒人、つまり、アフリカからアメリカに奴隷として連れてこられた人々、あるいはその子孫が話の中心である。彼らが、アフリカの黒人たちの独立に関わっていくであろうことが読み取れる。（F）はイスラームの聖地（メッカ）に移動してきたインドネシア（ジャワ・スマトラ・マレー半島）出身のイスラーム教徒である。やはり彼らは、インドネシアの抵抗運動に重要な役割を果たしているようだ。

京子にとっては知らない話ばかりであった。これらのことは教科書にも書いていないし、塾でも習っていない。どう分析すればよいだろうか。

思考するということは、先ほども伝えたように、具体と抽象の間を行き来することである。今、京子には具体的な事象が与えられているが、それを抽象的にとらえていけるかどうか、が問われているのである。京子は、もう一度（D）～（F）を見渡すと、民衆の移動先に共通性があることに気がついた。

（全て国際色豊かな場所が舞台ね）

（D）バクー　　　　：イラン人のみならず、多くの東洋人労働者が集まる都市
（E）アメリカ　　　：黒人のみならず、多くの移民が集まる国家
（F）聖地（メッカ）：インドネシア出身のイスラーム教徒のみならず、多くのイスラ

ーム教徒が集まる聖地

（ということは、指導者たちと同じように国際体験を深めているってことよね）

アゼルバイジャンの都市バクーには、多くの東洋人労働者がやってきているという。そしてアメリカは多くの移民で形成された国家である。アメリカはイギリス人を中心に形成された国家だが、先住民もいたし、その後には中国（華《か》僑《きょう》）を中心に、アジアの様々な地域から移民がやってきている。あるいは、イスラームの聖地たるメッカには多くのイスラーム教徒が巡礼にやってくるが、イスラームでは民族を問わないため、ひとくちにイスラーム教徒といっても本当に様々な人種・民族が巡礼に訪れる。

京子は、集まった人々が意見交換している様子が目に浮かんだ。バクーという都市で労働者たちが、アメリカという国家で移民たちが、そしてメッカという聖地で同じ信仰をもつ者たちが、自国の惨状について、欧米に支配されている嘆かわしい状況について話し合う姿を。彼らはそういった体験をもって自国に帰り、独立運動の中心を担っていったのである。

さらに、移動した場所の特色のみならず、京子はもう１つ重要なことに気がついた。

（それぞれの連帯の仕方にも違いがあるわね）

（D）はイラン人であるから同一民族の連帯である。（E）は黒人であるから同一人種での連帯、（F）はイスラーム教徒であるから同一宗教での連帯である。

ここまで気づくことができれば、解答は見えたに等しい。京子は構成メモ（図表7‐2）をまとめ、宮下に見せた。宮下のチェックを待つ間、京子は将来は絶対に留学をしようと決めた。自国の抱える問題はどういったことなのか、より正確にとらえるのには、問題を相対的に見る必要がある。そして、留学はそういった経験を積むための大きなチャンスである。この問題は国際体験の必要性を痛感させてくれる問題でもあった。

京子は原稿用紙を受け取ると、次のように文章にまとめていった。

図表7-2　民衆と指導者たちの国際体験（京子の構成メモ）

移動の手段

交通革命
・移動手段の発達は人々の移動を活発にした

移動の目的

就業
・先進国の侵略のもと従属地域の貧困層は生活基盤を破壊され、労働環境を求めていた（プッシュ）
・先進国も奴隷制の廃止を受けて奴隷に代わる労働力を必要とし、低賃金で働く労働者を好んで受け入れた（プル）

留学
・先進国と従属地域の間には教育格差があった（プル）
・従属地域の知識人は欧米の進んだ学問を求め、最新の思想や技術を吸収した（プル）

亡命
・独立運動に失敗した指導者は先進国に逃れた（プッシュ）

移動の意義

指導者

自国の後進性を痛感
・既に移動を行っていた移民たちの社会があった
・現地で同国人に対する差別を目の当たりにした

独立や革命の思想を形成
・ガンディーやホー=チミンは同国人の地位向上のために活動
・孫文は華僑から資金援助を受けて革命を準備

民　衆

国際的連帯が深まる
・自国の惨状を共有し、同じ人種、民族、宗教での連帯が見られた

反植民地闘争に大きな役割を果たす
・国際体験を積み、本国へ帰還、独立運動や革命へ参加を呼びかけた

解答

帝国主義時代、交通革命による移動手段の発達は人々の移動を活発にした。従属地域から先進国、あるいは先進国の支配する地域への移動において、一つの目的は就業であった。先進国の侵略のもと、生活基盤を破壊された従属地域の貧困層は労働を求めて活発に移動していった。先進国でも、奴隷制の廃止を受けて奴隷に代わる労働力を必要としており、低賃金で働く労働者を好んで受け入れた。もう一つの目的は留学であった。先進国と従属地域の間には教育格差があり、従属地域の知識人たちは欧米の進んだ学問を求めて移動し、最新の思想や技術を吸収していった。また、亡命を目的とした移動も行われ、独立運動に失敗した指導者たちは先進国に逃れることもあった。指導者たちが移動した先には、既に移動を行っていた移民たちの社会があり、現地では同国人に対する差別を目の当たりにすることになった。ガンディーやホー＝チミンは自国の後進性を痛感し、現地で同国人の地位向上のために活動したり、革命の支援にあたったりした。また、孫文は現地の華僑から資金援助を受け、革命を準備した。こうした国際体験のなかで、指導者たちは独立や革命の思想を形成していった。国際色豊かになった地に集った移民たちも、自国の惨状を共有し、同じ人種、民族、宗教など、様々な形で連帯した。国際体験を積んだ民衆は、本国への帰還を呼びかけ、独立運動や革命、反植民地闘争に大きな役割を果たしていった。（599字）

第2部　国際社会の発展

第8章　戦争の助長と抑制

支配の拡大とともに

「さて、今一度確認しましょう。東大の問題は常に『国家』を主題にしています。どのように国家が誕生して、国家と国家が関係を結ぶ社会、すなわち国際社会が形成され、そして、その社会がどのような問題に直面し、どのように問題の解決にあたったのか、常に東大はそういった視点で問いを立てます。17〜18世紀の欧米は市民革命によって国家を形成し、国際社会を築きました。19世紀に入ると、欧米諸国はアジア・アフリカに侵略し、各地では様々な抵抗が起こりました。一方で、19世紀の帝国主義時代は、交通や通信の技術革新によって世界が一体となっていった時代、すなわちグローバル化の時代でもありました」

しかしながら、20世紀に入ると、世界が一体となるなかで戦争が起こり、当然ながら世界大戦となった。欧米は現在の秩序である主権国家や民主主義を進展させてきた一方で、国際戦争という問題を抱えるようになったのである。だが、人類は戦争の度に平和を求め、知恵を絞ってきた。この問題は、そういった観点から出題されている。

「では、まず問題文を読んでみましょう」

そう言うと、宮下は問題を配り始めた。

問題（2006年）

近代以降のヨーロッパでは主権国家が誕生し、民主主義が成長した反面、各地で戦争が多発するという一見矛盾した傾向が見られた。それは、国内社会の民主化が国民意識の高揚をもたらし、対外戦争を支える国内的基礎を強化したためであった。他方、国際法を制定したり、国際機関を設立することによって戦争の勃発を防ぐ努力もなされた。

このように戦争を助長したり、あるいは戦争を抑制したりする傾向が、三十年戦争、フランス革命戦争、第一次世界大戦という3つの時期にどのように現れたのかについて、解答欄（イ）に17行以内で説明しなさい。その際に以下の8つの語句を必ず一度は用い、その語句の部分に下線を付しなさい。

ウェストファリア条約　国際連盟　十四か条　『戦争と平和の法』　総力戦
徴兵制　ナショナリズム　平和に関する布告

※文中の傍線は筆者の判断で重要と思われるところに付した。なお、1行は30字。

主権国家＝戦争

「『主権国家、それは戦争である』とは、フランスのミッテラン大統領（図表8－1）の言葉です。授業で話したのを覚えていますか？　この問題はこの言葉の意味を思い出しながらやってみてください。構成メモが完成したら少しヒントを出します」

宮下は生徒が問題文を読み終わるのを見計らって、一言発した。

ヨーロッパは歴史のなかで、主権国家という国家形態を生み出し、それは帝国主義時代の19世紀にヨーロッパが世界を征服することで普及した。中国が主権国家体制に合わせるよう変容を迫られたことは既に見た通りである。そして、現在も主権国家体制のもとで国際社会がある。ただ、その主権国家は戦争を意味するというのである。一体どういうことなのだろうか。

京子は、宮下が授業で話していたことを思い出した。忘れもしない、それは京子にとって一番印象に残った授業だった。

あなたの存在意義

「今日は少し哲学の話になります」

京子はワクワクした。哲学の話はなんだか頭が良くなった気がするからだ。

「フランスの哲学者にサルトルという人がいます。彼は『実存は本質に先立つ』という言葉を残しました。例えば、ハサミは紙を切るという目的のもとに生産されたものですね。目的があって存在しています。しかしながら、私たち人間は、目的もなく意味もなく存在してしまっています。この言葉はそれを表現するものです」

図表8-1　フランソワ・ミッテラン

生徒たちはわかったようなわからないような

顔をしている。宮下はそれに気づいていたが、さらに生徒たちに問いを投げかけた。

「これが大変おそろしい事態だということはわかりますか？」

中世まで、人間の存在意義はキリスト教が説明してくれていた。人間が何のために生まれ、何のために生き、そして死んだらどうなるか、これをキリスト教が説明してくれていた。だが中世が終わりキリスト教が衰退することで、人間はそういった物語、すなわち存在意義を失ってしまったのである。これはゆゆしき事態である。しかし、京子には、このゆゆしき事態がピンとこなかった。否、というより、そもそもないのである。

「例えば皆さん、今日家に帰って、お母さんにこう言われたらどうでしょうか。『あんた、この家で存在意義を失ったわよ』と」

生徒たちの目の色が変わる。宮下は生徒たちの表情が変わるのが好きだった。

「あるいは、友だちに『あなた、このグループで存在意義を失ったよ』と言われたら、また学校の先生に『君、この学校で存在意義を失ったよ』と言われたら、どうですか？」

ひとりぼっちになる。京子はじわじわと理解した。確かに、これはおそろしい事態だ。

「実は、私たちはそういうおそろしい現実のなかで生きているんです。人間の根源的な問題である孤独という事態です。人間は、これに耐えられるほど強くはありません」

京子は腰が浮くような感覚に襲われた。では、私たちはどうすればよいのか？

「中世までは、そういった存在意義をキリスト教が説明してくれていました。しかし、中世が終焉《しゅうえん》を迎え、キリスト教が力を失った近代になって以降、人々は自己の存在意義を模索し始めます。存在意義とは定義です。私は何者なのかという定義を模索し始めたのです」

宮下は定義というものについて説明した。Ａというものを定義するにはＡだけでは成立しない。Ａを定義するにはＡでないもの、すなわちＢ・Ｃ・Ｄが必要である。ＡとはＢでもＣでもＤでもないもの、定義はそのようになされる。つまり相対化、差別化である。

「人々は周囲を見回して、他者との差別化から自分たちを定義していきました。まず目についたのは肌の色や髪の色などの外見、もしくは習慣や話す言葉、つまり文化です。要するに民族による差別化を始めました。私はフランス人でもスペイン人でもない、イタリア人である、と。こうしてできた『人間の種類』が『国家』なのです」

国家を誕生させた市民革命の背景には、こういった事情もあったのだ。

さて、このようにして生まれた「国家」、すなわち主権国家は、一言でいえば「まとまりのある国家」である。その条件は２つ。国家を動かす力である主権が存在することと、その主権が及ぶ範囲、つまり国境が明確であることである。そして、現在の主権国家は、国民意識・民族意識を共有した国民国家・民族国家が基盤となっている。

戦争はなくならない

「さて、他者との差別化というのは、少し嫌な自己主張ですね。『私はあなたとは違う』という主張ですから、これは他者の否定ということになります。だから、国家の誕生は他者を否定した結果です。フランスのミッテラン大統領はのちにこういう言葉を残しました。『主権国家、それは戦争である』と」

　生徒は体を前に出して宮下の話に聞き入っている。

「ヨーロッパの歴史は主権国家体制の発展の歴史でしたね。絶対主義時代に主権国家が成形され始め（14～16世紀）、三十年戦争のウェストファリア条約で主権国家体制が確立（17世紀）、そして市民革命によって主権国家の発展段階たる、現在の国民国家・民族国家が形成されました（17～18世紀）。その後、ヨーロッパは帝国主義の名の下に世界を征服していきましたが（19世紀）、第１次世界大戦（１９１４年勃発）に際して、各々の民族の自立と自決を認める『民族自決』という概念を生み出します。以降、『民族自決』は世界に適用されていき、第２次世界大戦（１９４５年終結）の後にはアジア・アフリカ諸国が独立、多くの民族が主権国家（国民国家・民族国家）を形成していきました。ヨーロッパを中心とした世界の歴史は、主権国家の成立と発展、そして主権国家体制、つまりは国際社会の形成、発展の歴史でした。ということは、ヨーロッパの歴史が戦争の歴史であったということになります。主権国家、それは戦争なんですから」

生徒たちは学んできた歴史が一本の線になっていくのを感じていた。

「この話から、戦争がなくならない理由がわかりますね」

また少し生徒たちの表情が変わる。

「我々は存在意義を模索しないと生きていけません。存在意義を喪失した状態では孤独に陥ることになるからです。しかしながら、存在意義を見出そうと自己を定義していくと、それは他者を否定することになり、戦争が起こります。孤独は嫌ですね、けれども戦争も嫌ですね。さぁ困りました。孤独か戦争かを選ばなければならないということになります。孤独は自分が傷つきます、戦争は他者を傷つけます」

京子は困惑したが、宮下の言葉は京子に新しい世界を開かせた。

「だからこそです。現在、ＥＵは主権の一部放棄、そして国境の一部撤廃を目指しています。主権国家の条件は、主権と国境の存在ですから、それをなくそうとしていくことで、戦争の回避、言い換えれば平和を目指しているわけです。『主権国家、それは戦争である』というなら、主権国家を否定しないと戦争を回避できないということです。ＥＵはノーベル平和賞を受賞しましたね。ＥＵの目的は経済発展だけではありませんよ。より大きな目的はヨーロッパの平和です。これがいかに偉大な挑戦であるかわかりますか？」

　戦争をなくすには、他者を否定することをやめなければいけない、そのためには「私はあなたとは違う」という自己主張、すなわち自己と他者の間の線引き、国家で考えるなら国境の存在を否定しなければいけない。ただ、それは孤独に耐えなければならないことを意味する。ＥＵは他者を傷つけないためにも、自己が傷つくことを受け入れる選択をしたということだ。京子は宮下が偉大な挑戦と表現している意味を理解するとともに、イギリスがＥＵを離脱したというのが、そう簡単な話でないことも理解した。

「もちろん、これは長い歴史の末にある現在、ヨーロッパが展開している挑戦です。けれども、当然ながらヨーロッパは主権国家を発展させながら、戦争が起こる度に、どうしたら平和を実現できるのか、戦争を回避できるのか、知恵を絞ってきたのです」

「戦争を助長する」とは

「さぁ、構成メモは概ね完成したでしょうか」

京子がひと通り構成メモを書き終えると、宮下が全体に話し始めた。

「問われているのは戦争の助長と抑制です。抑制はわかると思いますが、助長とはなんでしょうか。皆さんの構成メモの内容は、ちゃんと戦争が助長されていますか？」

助長されているかどうか。京子には自分の構成メモがそうなっているかどうかわからなかった。他の生徒もピンときていないようだった。

「じゃあ助長という言葉を別の言葉に言い換えてみてください」

少し間が空いて、生徒はポツリポツリと答え始める。

「促進……」

宮下はうんうんと頷きながら、別の解答を求めた。

「発展？」

まだ宮下の求めるものではないらしい。

「拡大？」

「その通り」

宮下は答えを聞くと、すぐさまホワイトボードに「拡大」と書いた。

「ちゃんと戦争が拡大していますか？　拡大というのは基本的に空間の問題ですよ。もう少し考えてみてください」

京子は再び構成メモを見直した。拡大していく様子は明確になっていない。どうやら、3つの戦争について、構成メモの構造から考えなおさなければならないようだった。

三十年戦争――国際戦争の始まり

ヨーロッパの最初の国際戦争といえば、ハプスブルク家の支配する神聖ローマ帝国（現ドイツ）を中心に起こった三十年戦争（1618～1648年）であった。当初、戦争は神聖ローマ帝国における宗教内乱であった。帝国内の小国家が旧教陣営（カトリック）と新教陣営（プロテスタント）に分かれて戦争を起こしたのである。だが、新教陣営に周辺の新教諸国が加担して国際戦争へと拡大した。干渉したのは、現在では戦争からほど遠い、デンマークとスウェーデンである。

　さらに、今度は旧教陣営に与《くみ》するハプスブルク家を打倒するべく、旧教国であるはずのフランス（ブルボン家）が新教陣営に立って参戦してくる。フランスは、宗教の対立よりも、家系の対立、すなわち強大な勢力を誇るハプスブルク家に対抗することを優先して参戦したのである。こうなると、もはや宗教は関係なく、国家間の勢力争いである。結局、戦争は新教陣営、フランス（ブルボン家）の勝利で終わった。

（三十年戦争は宗教内乱から国際戦争へ拡大したってことか……）

京子は、戦争の助長は戦争に参加する国家や人々、つまり空間とそこに関わる人間の問題であることを理解した。その時、宮下が思考を進める一言をアナウンスした。

「拡大の原因が抑制の対象です。論理的に考えてください。問題を解決するには問題の原因を突きとめよう、いつもそう言っていますね。問題の原因を排除すれば問題は解決します。例えば、試験で失点が多いという問題に直面したとしましょう。原因を突きとめてください。原因が漢字の間違いであるとしたら、漢字の練習をすれば問題は解決ですね。ですから、戦争の拡大という問題を解決したいのであれば、戦争の拡大の原因が抑制の対象になるはずです」

京子は納得して自分の構成メモを再び修正する。

（三十年戦争を拡大させた原因は、「外国が干渉」したことね）

この「外国が干渉」することが拡大の原因なら、それが抑制の対象であるはずで、戦後処理のウェストファリア条約には、それが規定されているはずだ。

（「外国の干渉」を抑制する……「主権尊重」ということか。そして「強大な勢力をもつハプスブルク家に対抗」したことも戦争が拡大した原因だから、その抑制は「勢力均衡」ね。どちらもウェストファリア体制の重要な原則だわ）

戦後のウェストファリア条約（１６４８年）は、各国の「主権尊重」を認めた。そして、ハプスブルク家のように、狭いヨーロッパで広大な支配領域をもつ勢力が生まれると戦争が起きてしまうことへの反省から、各国が同じぐらいの勢力を持たせて均衡させることで、つまり「勢力均衡」で戦争を防ごうとしたのである。ウェストファリア条約は主権国家体制を確立させる起点となったわけだが、平和への知恵を結実させたものでもあるのだ。

三十年戦争は初の主権国家同士の戦争、すなわち初の本格的な国際戦争といえる。

中世の間は、主権国家が存在していなかったため、主権国家が互いに争う国際戦争などというものは存在しなかった。国家がないから当然である。代わりに、異なる民族間の戦争、あるいは異なる宗教間の戦争だったのである。つまり国際戦争は新しい現象であった。そこで、オランダの法学者であったグロティウスは主権国家の間にも秩序としての法が必要であると、『戦争と平和の法』という著書で、新しい概念である「国際法」を提起することにもなった。

京子は3つの戦争に関して、宮下の話を起点に一つ一つ「助長と抑制」を緻密に整理していく（図表8-2）。次はフランス革命戦争だ。

図表8-2　三十年戦争の助長と抑制（京子の構成メモ）

三十年戦争の助長と抑制（ウェストファリア条約）	
初期	内乱 ・ドイツの旧新両勢力の対立
助長（拡大）	国際戦争 ・外国が国益を求めて干渉 ・フランスが参戦し、国家間の勢力争い
抑制	主権尊重 勢力均衡 ・主権国家体制の確立 国際法 ・グロティウスの『戦争と平和の法』 ・自然法に基づく国際法の必要性を訴えた

フランス革命戦争——徴兵制の始まり

当初、フランス革命もフランスにおける内乱であった。国王や貴族に対する一般市民の暴動である。しかし、周辺諸国は絶対王政まっただなかである。フランス国内での問題とはいえ、絶対君主が一般市民によってひどい扱いを受け、処刑されるなどということは許しがたい事態であった。そこで、ヨーロッパ諸国はフランス革命に干渉して抑圧、革命はフランスにおける内乱から国際戦争へと拡大した。ウェストファリア条約で規定された「主権尊重」は脆くも崩れたのである。

抑圧に対してフランスの市民は一致団結。ここに、国家に対する帰属意識が生まれた。今でこそ当たり前のようにもっているナショナリズム（国民意識）は、フランス革命のなかで生まれた概念である。フランス国民であるならフランス革命を守る戦いに参加すべきということになり、徴兵制が導入された。結果として、これは戦争に参加する人間を拡大させ、被害を大きくすることになった。

やがてナポレオンが登場すると、彼はヨーロッパ諸国に対して、絶対君主による自由の抑圧から解放すると称して各国を制圧していった（ナポレオン戦争）。フランスの支配領域は逆にヨーロッパ全土に拡大。ウェストファリア条約で規定された「勢力均衡」も、脆くも崩れたのである。やがて各国ではナポレオンの支配に対する反発が生まれた。フランスと同じように抑圧に対してナショナリズムが生まれ、抵抗が起きていったのである（解放戦争）。

こうして、フランス革命のなかで、初めてナショナリズムというものが生まれ、主権国家の発展段階たる国民国家、つまり国民がナショナリズムを共有する国家、よりまとまりのある国家が誕生した。だが、その一方で、戦争は拡大していったのである。まさに「主権国家、それは戦争である」の通りであった。

（戦争を拡大させた原因は、ナショナリズムね）

ということは、抑制の対象もおのずと決まる。

（だからウィーン体制なのか……）

ナポレオン戦争の後、戦後処理のためにウィーン会議（1814～1815年）が開かれ、ヨーロッパの再編が図られた。平和のための原則は、まず三十年戦争のウェストファリア条約で規定された「主権尊重」「勢力均衡」の確認であった。もう1つは、ナショナリズムを抑えようとする「正統主義」である。ナショナリズムがフランスの男性市民を戦場に駆り立て、ナショナリズムによってナポレオンに対する抵抗が展開され、被害が拡大したからである。やはりウィーン体制も平和のための体制だったのだ（図表8-3）。

図表8-3　フランス革命戦争の助長と抑制（京子の構成メモ）

フランス革命戦争の助長と抑制（ウィーン体制）	
初期	内乱
助長（拡大）	国際戦争 ・外国が干渉 ・ナショナリズムが高揚、男性市民を動員する徴兵制を実施 ・国民国家の形成 国際戦争（解放戦争） ・ナポレオンのヨーロッパ制覇 ・ナショナリズムが高揚、解放戦争が勃発
抑制	勢力均衡 正義主義 ・ナショナリズムの抑圧を規定

だが、それでも、ヨーロッパは20世紀により大きな戦争を経験することになる。第1次世界大戦である。

第1次世界大戦——総力戦の始まり

これまで多くの問題で出題されていたように、19世紀、欧米諸国はアジア・アフリカへと「侵略」し、各地では様々な「抵抗」が起こった。そこには科学による技術革新があり（第6章）、移動による国際体験があった（第7章）。そして、それとともに世界は一体となっていった。欧米諸国がアジア・アフリカに進出し、アジア・アフリカ諸国の人々が各地に移動したのだから自然な流れである。19世紀は、欧米諸国とアジア・アフリカが強い関係を持ち、グローバル化を進展させた時代でもあるのだ。であるならば、戦争も世界規模の国際戦争になるのは当然の帰結であろう。

20世紀に入ると、人類は2度の世界大戦に見舞われた。第1次世界大戦ののち、ヴェルサイユ体制なるものが誕生、新たな原則のもとで平和が目指されることになった。

第1次世界大戦が始まった時、兵士の移動は騎馬と徒歩であった。しかし、戦場では新しい兵器として機関銃が投入された。うかつに突撃ができなくなり、塹壕《ざんごう》戦による睨み合いとなったのである。塹壕戦は睨み続けたほうが勝つわけだから、後方からの支援が重要になる。そこで、従来、戦争は戦場で戦う兵士たちによって決着がつけられていたが、銃後の女性たちによる支援が勝敗を分けるようになった。戦争に参加するものは戦場の男性だけでなく、銃後の女性や子供、老人といった全ての国民に拡大したのである。こうしてナショナリズムは国内の一般市民にも浸透して、民主主義が成長していったわけだが、それは戦争を支えるものにもなったのである。さらに、ヨーロッパの帝国主義諸国は、国内の少数民族や国外の植民地人も動員したため、戦争は本国の人々のみならず全植民地に拡大した。戦争は、戦場で戦う兵士だけではなく、総力を結集しての戦いとなったのである。これを総力戦といった。

（戦争を拡大させた原因は少数民族や植民地人を動員したことだから、つまりは助長の原因は「帝国〈帝国主義〉」ね）

そもそも「帝国」というのは、「異民族・異教徒を内包しつつも広大な領域を支配する国家」のことをいう。当時、ヨーロッパにはロシア帝国、ドイツ帝国、オーストリア＝ハンガリー帝国などがあり、それぞれ多くの少数民族を抱えていた。そして、ヨーロッパの帝国主義列強がアジア・アフリカに植民地をもつことは、多くの異民族を支配することを意味する。だから、「帝国」と「帝国主義」は、その名の通り本質は同じということになる。ヨーロッパの国々が国内の少数民族、国外の植民地人を動員したことの背景は、この『帝国（帝国主義）』にあったのである。

（ということは、「帝国〈帝国主義〉」を抑制したのは……レーニンの「民族自決」か）

この概念は、ロシア革命の際にレーニンが発した「平和に関する布告」に由来している。それぞれの民族の自立と自決を認めるという原則で、「帝国」を否定する概念である。戦後、これに呼応して、アメリカのウィルソン大統領が「十四か条の平和原則」を掲げて「民族自決」を支持した。こうして「帝国」という国家形態は否定されていった。第1次世界大戦中にはロシア帝国やドイツ帝国が解体、戦後にはオーストリア＝ハンガリー帝国、そしてオスマン帝国も解体していき、多くの民族が自決を認められ、国家として独立を認められていった。そして、当然ながら「帝国主義」も否定されるはずであった。だが、ヨーロッパ列強は、ヨーロッパの帝国の解体、すなわち少数民族の独立は認めても、アジア・アフリカの植民地人の独立は認めず、現状維持とされ、矛盾を残すことになった。

国際連盟誕生の背景

平和への努力はその他にもあった。指定語句にもある「国際連盟」である。

第1次世界大戦ののち、平和への努力として国際平和機構が樹立された。それが国際連盟である。これは、これまでの三十年戦争に対するウェストファリア体制、フランス革命戦争に対するウィーン体制で確認された、「主権尊重」と「勢力均衡」という２つの原理に問題があったからである。ヨーロッパでは、主権国家が勢力均衡の状態にあれば戦争は起こらない、と想定された。その通りなのだが、同時に２つの原理は軍拡競争を生むことにもなったのである。

例えば、ＡとＢという国が、ともに軍事力が10で均衡していたとしよう。けれども、仮にＡが、軍事力を15に上げてしまったとしたら、Ｂも15に上げなければ、勢力は均衡しない。すると、20に上げれば20、50に上げれば50という具合に、両者は無限の軍拡競争を続けなければいけない。そうして軍事力が上がりきったところに火をつければ、無論、大戦争となってしまう。それが第１次世界大戦だった。

こうした問題に対して、アメリカ大統領ウィルソンは、「十四か条の平和原則」のなかで、軍備縮小とともに国際平和機構というアイデアを出した。主権国家が集まって１つの共同体を構成して、互いに「戦争は違法である」という約束をする。もし、ある国家が違法行為を犯せば、つまり侵略を行えば、その国家は共同体を構成する国々に害を及ぼす存在になるため、共同体を構成する国々から制裁を加えられる。これを戦争を抑止する原理としようというのである。

図表8-4　第1次世界大戦の助長と抑制（京子の構成メモ）

第1次世界大戦の助長と抑制（ヴェルサイユ体制）	
初期	従来の国際戦争
助長（拡大）	総力戦 ・全国民と植民地を動員 ・銃後のみならず世界を巻き込んだ
抑制	民族自決 ・ロシア革命で成立したソヴィエト政府による平和に関する布告 国際平和機構の設立 ・アメリカのウィルソンによる十四か条の平和原則 ・国際連盟が設立された

（「主権尊重」「勢力均衡」の欠陥を補足するウィルソンの「十四か条の平和原則」ね）

京子は、構成メモ（図表8-4）を書き終えてシャーペンを置き、手を挙げた。

この問題で、京子は改めてヨーロッパの歴史と日本の歴史の違いを感じさせられた。日本は、戦争に関して抑制するための知恵を絞っているのだろうか。戦争だけではない。日本が犯した失敗に対して、原因を突きとめ、原因を排除しようと努力しているのか。少なくとも、京子にはそう思えなかった。原稿用紙を受け取ると、京子は次のように文章にまとめた。

解答

三十年戦争はドイツの新旧両勢力による宗教内乱として始まったが、各国は国益を求めて干渉し国際戦争に発展した。さらにフランスが参戦すると戦争は国家間の勢力争いとなった。講和条約のウェストファリア条約では主権尊重と勢力均衡が確認され、主権国家体制が確立した。また、グロティウスは『戦争と平和の法』を著し、自然法にもとづく国際法の必要性を訴えた。フランス革命では、各国がこれに干渉したためナショナリズムが高揚し、国民国家が形成されていった。これにより男性市民を動員する徴兵制が実施され、内乱は国際戦争に発展した。さらにナポレオン戦争によってヨーロッパが制圧されると、各国でもナショナリズムが高揚して解放戦争が勃発した。フランス革命戦争後のヨーロッパではウィーン体制が成立、勢力均衡と正統主義によるナショナリズムの抑圧が規定された。第1次世界大戦は、全国民と植民地を動員する総力戦が行われたことで、戦争は銃後のみならず世界を巻き込んだ。ロシア革命で成立したソヴィエト政府は平和に関する布告を発表し、民族自決を主張した。戦後にはアメリカのウィルソンが十四か条の平和原則を発表し、国際平和機構の設立を提案、国際連盟が設立された。（507字）

第9章　世界大戦は世界を変えた

現代世界の原型

20世紀に入り、世界が一体となるなかで人類は2度の世界大戦を経験した。それは当然ながら世界に大きな変化をもたらす。現在の世界は、この2度の大戦から生まれてきたといえよう。

「19世紀の帝国主義時代は『侵略と抵抗』の時代です。そのなかで欧米諸国は世界を征服したわけですが、2度の大戦によってヨーロッパは歴史を牽引する力を失います。ヨーロッパの国々は争うことで没落していくのです。その一方で、2度の世界大戦をうまく立ち回ったアメリカは国力を増大させ、台頭します。現代世界の原型は、2度の世界大戦から生まれていくことになります」

そう言うと、宮下は問題を配り始めた。この問題は比較の問題なので、難解な問題である。

「では、構成メモができたら挙手してください」

問題（1984年）

第1次世界大戦と第2次世界大戦とは、20世紀の戦争として、それまでの歴史には見られなかったような特徴をそなえている。二つの戦争を比較し、これらに共通する新しい性格と結果とを600字以内で論ぜよ。なお、解答文では下記の語句を少なくとも1回は使用し、最初に用いたときに下線をほどこせ。解答は答案用紙の（イ）の欄に記入すること。

工業力　国民生活　アジア　残虐兵器　植民地　革命
国際平和機構　飛行機　アメリカ　国家統制

※文中の傍線は筆者の判断で重要と思われるところに付した。

総力戦となったのはなぜか

（総力戦だ……）

問題文を読み終えて、純也の頭には真っ先にこの言葉が浮かんだ。その通り、第1次世界大戦と第2次世界大戦に共通する新しい性格といえば、総力戦となったことである。

第1次世界大戦が総力戦となった理由は、機関銃の登場と塹壕戦の開始にある。従来、戦争は戦場で戦う兵士たちによって決着がつけられていたが、機関銃の登場によって突撃はできなくなった。そこで、両軍は射撃から逃れるために塹壕（陣地の周囲に掘られた溝）に隠れ、睨み合うことになったのである。睨み合いは睨み続けたほうが勝つ。そして睨み続けるためには後方支援が要となる。したがって、前線の戦況ではなく、いかに銃後で生産し、武器や弾薬、食料を補給するかが勝敗を分けるようになった。戦争は前線の兵士（男性）ではなく、銃後の武器をもたない一般市民（特に女性）が帰趨《きすう》を決めることになったのである。総力を結集した戦い、それが総力戦であった。

戦争の勝敗が前線ではないところで決着するのであれば、当然ながら戦場の兵士だけではなく、銃後の武器をもたない一般市民も攻撃の対象になるということである。無論、戦争の被害はこれまでとは比較にならないほど広範で甚大《じんだい》なものとなった。

（さて、どうまとめよう）

これまで以上に漠然《ばくぜん》とした問題。純也は宮下の授業を回想しながら構成メモを整理し始めた。

巻き込まれる様々な人々

総力戦は総力が大きいほうが勝つ。当たり前のことだ。だから多くの人々、多くの地域が動員され、戦争に協力、あるいは巻き込まれることになった。

まずは、後方の女性や子供、老人たち。普段は男性がやっていた仕事が女性たちによって担われ、彼女たちは工場で武器や弾薬を生産した（図表9-1）。そして食糧の供給は国家統制のもとに置かれ、戦場の兵士たちに優先して供給、後方では配給となった。

図表9-1　弾薬を生産する女性たち

「『欲しがりません、勝つまでは』というのは第1次世界大戦の時にドイツで生まれた言葉ですよ」

国民生活は戦争に従属させられたのである。巻き込まれたのはそれだけではない。「帝国」という形態をとるヨーロッパの国々では、国内の少数民族も動員して戦った。「帝国」とは「異民族・異教徒を内包しつつも広大な領域を統治する国家」のことである。ロシア帝国やドイツ帝国、あるいはオーストリア＝ハンガリー帝国は、支配していた少数民族も動員して戦うことになった。

「ここで、生産力、工業力のない国は、『欲しがりません、勝つまでは』に耐えきれず、国内で不満が爆発しました。その1つがレーニンによる第2次ロシア革命です。これは国内に残った女性たちが口火を切った革命ですよ。結果として、ロシア帝国は解体してソヴィエト連邦（以降、ソ連）が成立、第1次世界大戦からは離脱していくことになりました。また、敗戦を目の前にしたドイツ帝国でも革命が起こります。これは劣勢に苦しむ兵士と、食糧不足に苦しむ国内の一般市民が起こしたものです。結果、ドイツ帝国も崩壊に至ります」

さらに、「帝国主義」を掲げるヨーロッパ列強は、宗主国として植民地の人々をも動員することになった。前に確認したように、「帝国」と「帝国主義」は名の通り本質を同じくする。多くの植民地をもつということは多くの異民族・異教徒を支配することを意味するからだ。イギリスはインド人やエジプト人を動員し、フランスはベトナム人を動員した。こうして、戦争は世界を巻き込むことになり、世界大戦となったのである。

当然ながら、帰趨を決めるのが銃後、そして全植民地であるなら、それらは攻撃の対象となる。言い換えれば、武器を持たない女性、子供、老人たちも、そして直接には関係ない少数民族や植民地人も殺戮《さつりく》の対象となったということである。戦争の被害は従来とは比べものにならないほど広範で甚大なものとなった。

「総力戦では直接の戦闘だけでなく、水面下での仲間づくりも重要性が増します。中立の立場をとる国に対しても、あることないことを言って仲間に引き入れたり、あるいは裏切るようにそそのかしたり、勝手に仲直りしたりすることを禁じたりする、こういったことが戦いの裏で行われました」

悪名高いのはイギリスである。イギリスは協力の見返りとしてインドに戦後の自治を約束した。しかし、戦後にそれが守られることはなかった。さらに、敵対するトルコ（オスマン帝国）に支配されているユダヤ人やアラブ人たちにも、資金の援助を求めたり、トルコに対して反乱を起こすよう求めたりした。協力の見返りはパレスチナを含む地域での独立であった。２つの勢力に同じ地域での独立を認めたわけであるから、ここには矛盾があったが、水面下での約束であったため成り立ったのである。もちろん、戦後にそれが果たされることはなく、これが有名なパレスチナ問題へとつながっていくことになる。

図表9-2　様々な残虐兵器とその惨禍

さて、戦争の惨禍《さんか》が大きなものになった理由は、巻き込まれる地域や人々が増えたからというだけではない。残虐兵器の開発も戦争の惨状をひどいものにしたといえる。

残虐兵器の登場

純也は宮下の授業を振り返りながら、宮下が戦争と科学の関係について話していたのを思い出した。

「戦争は人間に最も知恵を絞らせます。残念ながら、戦争が科学を発展させ、科学が戦争を悲惨なものにした、という側面があるのです」

技術革新が侵略を支えたということは既に見た通りである（第6章）。同じように、科学は技術として戦争に応用された。睨み合いの塹壕戦を制するべく、各国は様々な残虐兵器を開発した（図表9-2）。第1次世界大戦では戦車が登場。鉄条網を突破して機関銃にも対抗していくものとして、トラクターをヒントにイギリスで開発された。

「開発に携わった、当時海軍大臣を務めていたチャーチルは、戦車を『動くシェルター』と表現しています」

また毒ガスや飛行機も導入された。第２次世界大戦では飛行機が高度に改良され、零戦などの戦闘機、B29などの爆撃機が活躍した。こうして行きついた先が核兵器である。こういった意味でも、戦争の被害は従来とは比べものにならないほど凄惨《せいさん》なものとなったのである。

２度の世界大戦は、特に戦場となったヨーロッパに損害と荒廃をもたらし、世界に君臨する立場を失わせた。一方でアメリカは、戦場にもならず、かつ工業力第１位の立場をもって勝敗に大きな役割を果たしたため、戦後には国際的地位をヨーロッパから奪うことに成功した。現在のアメリカの地位は２度の世界大戦をうまく戦い抜いた結果といえる。

戦争協力への見返り

「戦争に巻き込まれた人々は、戦後、協力の見返りとして様々な権利を要求しました。中心となったのは、国内の女性や少数民族、そして国外の植民地人たちです」

まず、女性たちは権利の拡大を要求した。参政権である。戦後にイギリス（１９１８年）やアメリカ（１９２０年）などでは女性参政権が認められていった。女性の社会的地位向上の1つの大きな転機は第1次世界大戦だったのである。

次に少数民族が独立を要求した。既に触れたように戦中から戦後にかけて、レーニンによる「民族自決」の概念の提唱によって（第8章）、あるいは、総力戦に耐えきれなかったことを理由として、帝国が解体した。それは少数民族の独立、すなわち国家の誕生を意味する。戦中、ロシア帝国とドイツ帝国が革命によって解体した。ロシアから独立したのは、フィンランドやバルト三国、そしてポーランドである。戦後には敗戦したオーストリア＝ハンガリー帝国も解体した。その結果、ハンガリーやチェコスロヴァキア、そしてユーゴスラビア（当初はセルブ＝クロアート＝スロヴェーン王国）が独立した。あるいは、同じく敗戦したトルコ（オスマン帝国）は、敗戦とそれに続く革命によって解体。イラク、ヨルダン、そして、シリア、レバノンが帝国から切り離された。ただし、先述のようにパレスチナには問題を残すことになった。

こうした情勢を受けて、戦後、アジア・アフリカの植民地でも協力の見返りに自立を要求する独立運動が激化した。自治の約束と引き換えにイギリスに協力したインドでは、反英闘争としてガンディーを中心に非暴力・不服従運動が展開された。一方、同じくイギリスの植民地であるエジプトでも、運動の末に独立を勝ち取った。ただし、スエズ運河については保留され、問題を残すことになった。

それでも冷戦が待っている

「総力戦という形態をとった2度の世界大戦は、これまでとは全く規模の異なる甚大な被害を人類にもたらしました。けれども、欧米の人々は、それを受けて国際平和に向けて努力していきます。その1つが国際平和機構の設立です」

第1次世界大戦後には国際連盟が、第2次世界大戦後には国際連合が発足した。国際連盟は多くの矛盾を抱えていたため、第2次世界大戦を防ぐことができなかったが、国際連合は、国際連盟の不備を修正して一定の成果を挙げている。

「それでも、第2次世界大戦ののちには冷戦が始まります。アメリカとソ連は核開発を進め、核実験を繰り返しました。人類は、もはや使用できない兵器を開発してしまったのです。核戦争にこそ至っていないものの、各地ではアメリカとソ連の代理戦争が起きました。さらに、冷戦が終わったあとも、各地で民族紛争が果てしなく続き、21世紀はテロの時代へと変わっていくことになります」

ヨーロッパの歴史は戦争の歴史である。その一方で、それは平和に向けての知恵を絞って

図表9-3　2つの世界大戦に共通するもの（純也の構成メモ）

共通する性格

総力戦
・国家の経済力、特に工業力によって帰趨が決まる戦争
・工業力が世界第1位であったアメリカが大戦の主導権を握る
⇒全国民の動員
特に女性が動員され、必要な物資の生産にあたる
経済の国家統制が行われ、国民生活は戦争目的に従属される
前線と銃後の区別が消滅
結果　国民の不満が爆発して革命が勃発、第1次世界大戦では戦中にドイツ・ロシア、戦後にはトルコで革命
帝国は解体に向かった
影響　女性は権利を要求、戦後に参政権が認められる

⇒植民地の動員
宗主国が戦後の自治や独立を約束して動員
結果　民族運動が活性化、第2次世界大戦後にはアジアで独立が成功

残虐兵器の開発
・第1次世界大戦では戦車、毒ガス、潜水艦、飛行機が登場
・第2次世界大戦では空軍による爆撃、核兵器も登場

共通する結果

戦争の惨禍が従来の規模とは比較にならないほど甚大
・世界に大きな変動を引き起こす
平和への希求を生む（国際平和機構の設立）
・第1次世界大戦後：国際連盟、第2次世界大戦後：国際連合

きた歴史ともいえる。日本の歴史はこういった戦争の歴史ではない。ゆえに平和に向けての知恵を絞ってきた歴史でもない。戦争と平和に関する感度が低い自覚をもつ必要があるかもしれない。純也はそんなことを考えながら、これまでの授業をもとに構成メモ（図表9-3）を書き上げると、手を挙げた。

解答

2つの戦争はともに総力戦であった。従来の戦争が概して個々の作戦の成否や兵力の大小によって決まったのに対し、それは国家の経済力、特に工業力によって帰趨が決まる戦争であった。ゆえに、大戦の主導権を握ったのは工業力が世界第1位であるアメリカであった。銃後では、特に女性が動員され戦争に必要な物資の生産が行われた。経済の国家統制も行われ、国民生活は戦争目的に従属させられたため、前線と銃後の区別は消滅した。結果、国内の人々が不満を爆発させて革命を起こすこともあり、第1次世界大戦中はロシアやドイツで、戦後はトルコで革命が成功し、帝国は解体に向かった。一方、女性たちは戦後に権利を要求、各国で女性参政権が認められた。また、植民地も動員され、宗主国によって協力の見返りに自治や独立が約束されたため戦後には独立運動が起こり、第2次世界大戦後にはアジアで独立が達成されることになった。両大戦では残虐兵器が開発され、第1次世界大戦では戦車、毒ガス、潜水艦、飛行機が登場。第2次世界大戦では空軍による爆撃が行われ、核兵器も登場した。こうして従来とは比較にならないほど戦争の被害は甚大なものとなり、世界に大きな変動をもたらした。一方で、両大戦の惨禍は平和への希求を生み出し、国際平和機構が設立されることにもなった。第1次世界大戦後の国際連盟は無力であったが、第2次世界大戦後の国際連合は一定の成果を挙げている。

（594字）

第10章 「帝国」の終わり

支配は終わったが……

戦争は大きな変化をもたらす。世界大戦が、ヨーロッパの没落とアメリカの台頭という、現代世界の原型を生み出していったことは前の問題で確認した。一方で、世界大戦はアジア・アフリカに自立をもたらすことにもなる。

宮下はプリントを配りながら言った。

「2度の世界大戦は、ヨーロッパから歴史を牽引する役割を奪いました。ヨーロッパが没落すれば、支配されているアジア・アフリカが自立の機会をうかがうのは当然のことですね。第1次世界大戦では、『帝国（帝国主義）』そのものが否定されていくことになり、アジア・アフリカは独立の糸口を掴みました」

だが、そこには問題があり、それは現在の紛争につながっていくことになる。この問題は「歴史は、現在の『なぜ?』に答えるものである」ということを改めて教えてくれる問題である。

問題（1997年）

20世紀の民族運動の展開を考えるさい、第一次世界大戦の前後の時期は大きな意味をもっている。この時期にはユーラシアの東西で旧来の帝国が崩壊し、その結果一部の地域では独立国家も生まれたが、未解決の問題も多く残った。それは、現代世界の民族と国家をめぐる紛争の原点ともなった。こうした旧来の帝国の解体の経過とその後の状況について、とくにそれぞれの帝国の解体過程の相違に留意しながら、解答欄（イ）に15行以内で述べよ。なお、下に示した語句を一度は用い、使用した箇所には必ず下線を付せ。

民族自決　三民主義　少数民族　シオニズム　アラブ　モンゴル
オーストリア＝ハンガリー　バルト三国

※文中の傍線は筆者の判断で重要と思われるところに付した。なお、1行は30字。

帝国の解体

「さて、19世紀は帝国主義による『侵略と抵抗』の時代だったわけですが、先ほどの問題でも確認したように、第1次世界大戦に際して『帝国』という国家の形態は崩壊し、同様にして『帝国主義』も否定される流れが生まれました。それを念頭にやってみましょう。構成メモができたら挙手してくださいね」

第1次世界大戦の前、中国では既に1つの帝国が崩壊していた。清朝である（第4章）。最後の中華帝国である清朝は、清仏戦争でベトナムを、日清戦争で朝鮮を失い、中華としての権威は失墜《しっつい》していた。三民主義を唱えた孫文によって辛亥革命が引き起こされると、帝国は崩壊に至った。東アジアでは帝国主義によって帝国が崩壊させられたのである。そして、中国も変容を迫られ、主権国家体制に組み込まれていくことになる。孫文は五族共和を唱えてモンゴル人などをつなぎとめようとしたが、のちに外モンゴルの独立を許すことになった（現在のモンゴル国）。

第1次世界大戦中には、欧米列強から「帝国（帝国主義）」を否定する声が上がることになった。この概念にNOを突きつけ、時代を変えたのはレーニンであった。

レーニンは平等を謳《うた》う社会主義の立場から、自らのことは自ら決めるべきであるとする「民族自決」の概念を諸国に提示した。これは誰かが誰かを支配する帝国（帝国主義）の否定であり、それは民族の自立（独立国家の誕生）を意味した。第1次世界大戦中にレーニンはロシア帝国（ロマノフ朝）をロシア革命（二月革命）で打倒、ソヴィエト社会主義共和国連邦を樹立した。一方で、フィンランドやバルト三国、そしてポーランドの独立を認めることになった。

第1次世界大戦後、レーニンに呼応したのがアメリカ大統領のウィルソンである。大戦の終結を受け、彼は「十四か条の平和原則」を唱えてレーニンの「民族自決」に賛同した。「民族自決」はヨーロッパに適用され、敗北したオーストリア＝ハンガリー帝国は解体（サン＝ジェルマン条約）、ハンガリーやチェコスロヴァキア、そしてユーゴスラビア（当初はセルブ＝クロアート＝スロヴェーン王国）の独立を許すことになった。

オスマン帝国も第1次世界大戦の敗戦（セーヴル条約）と、それ続くムスタファ・ケマルによるトルコ革命で解体を余儀なくされた。領土であったイラク、パレスチナ、ヨルダン、シリア、レバノンといったアラブ地域は帝国から切り離されることになった。

こうして各地の流れを概観すると、一見、民族の自立（独立国家の誕生）が認められていったように見える。だが、この問題では、そこに未解決の問題が残されており、それが現在では紛争の原因になっているというのである。

解体の際に残った問題

（帝国の解体か……）

純也は書くべき帝国を特定することから始めた。東大が、何かを列挙するような問題を出題する時は、指定語句から列挙すべきものを特定すればよい、ということを純也は知っていた。そしてそれは意外と簡単であった。

・民族自決・バルト三国　‥ロシア帝国
・三民主義・モンゴル　‥清朝（大清帝国）
・シオニズム・アラブ　‥オスマン帝国
・オーストリア＝ハンガリー・少数民族　‥オーストリア＝ハンガリー帝国

困難は分割せよ。４つの帝国について４５０字で書くということは、１つの帝国につき１

１０字程度ということになる。次なる問題は、一つ一つの帝国に関して書くべき事象は何か、ということである。

（書くことは３つだな）

純也はすぐに問題文から読み取って列挙した。東大の問題は文章を読めるか、つまり論理を読み取れる「読解力」を求める。書くべき事象は次の通りである。

・帝国の解体の経過と相違点
・その後の状況　＝　生まれた独立国家
・その後の状況　＝　残った未解決の問題　＝　現代の民族と国家をめぐる紛争の原因

問題文はこの「帝国の解体」の際に残った問題が、我々もよく知る現代の紛争の原因になっていることを示していた。つまり、受験生は現代の紛争を具体的に想像しながら当時の事象について整理しなければいけないということである。ロシア、中国、中東、東欧の紛争といえばなんだろうか。読者のなかには、実際に目の当たりにした人もいるかもしれない。

中国の紛争

宮下は教室を見回りながら全体にアナウンスした。

「現代において、中国が抱える民族と国家をめぐる紛争といえばなんでしょうか？　この問題は難しいですが、逆に現在の紛争から逆算すれば答えは見えてくるかもしれませんよ」

中国が抱える紛争。純也は、最近のニュースで語られている中国と香港や台湾との衝突を思い浮かべたが、これは「帝国の解体（辛亥革命）」とは関わらなそうなので却下した。

「中国……中国……中国……」と頭のなかで唱えながら、別の記憶を辿る。純也は幼少期の頃からサッカークラブに所属しており、特にヨーロッパのサッカーやオリンピックが好きで、よく見ていた。そこで、北京オリンピック（２００８年）の時に起きていた暴動がテレビに映されていたのをうっすらと思い出した。のちにそれはチベット人やウイグル人の独立運動であることを知ったのだった。

（チベットとウイグルか）

第１次世界大戦前、辛亥革命によって清朝は崩壊した。モンゴル人（外モンゴル）は独立に至ったが、ここでチベット人（チベット）やウイグル人（東トルキスタン）は独立することができなかった。これらの人々は、現在もチベット自治区や新疆《しんきょう》ウイグル自治区として中国の一部にとどまっている。

中国の帝国解体と現代がつながると、純也の意識は他の地域へと向けられた。

ロシア・東欧諸国に残る紛争

ロシアの紛争といえばチェチェン紛争が思い出された。学校の現代社会の授業で見たモスクワ劇場占拠事件の映像や、解決に際してプーチンが人質の多数を死なせてしまったことを謝罪するテレビ演説を思い出した。純也にとって、プーチンは感情を顔に出さない冷徹な人間だったが、そのプーチンが涙目で謝っていた姿は印象的だった。ロシア帝国は解体されたとはいえ、樹立されたのはソ連であり、いくつかの国家の寄せ集めにすぎない。やはり独立することができなかった民族が残されていたといえる。

オーストリアはどうだろうか。現在のオーストリアに大きな民族紛争は思い当たらない。純也は困惑した。その時、教室を見回っていた宮下が純也に言った。

「サッカー部なんだから、2018年のワールドカップロシア大会を見てたでしょう。政治パフォーマンスがあったの知らない？」

もちろん見ていた。そしてそう言われると、純也には思いあたることがあった。

（そうか、オーストリアでは紛争は起きていない、けどオーストリアから独立した国家では問題だらけだった）

純也は２０１８年のサッカーワールドカップのロシア大会を思い出した。この時、スイスとセルビアの試合で政治パフォーマンスが問題になったのだった。スイスのシャキリ選手がセルビアからゴールを奪った際に、ちょうど影絵で鳥をつくるように手を交差させて喜びを爆発させ、これが政治パフォーマンスであるとして問題になったのである。この意味がよくわからなくて純也は調べたことがあった。どうやら、ここには授業でも習ったコソヴォ紛争（１９９８〜１９９９年）が背景にあったようだ。この問題は、まさに第１次世界大戦後の帝国の解体に端を発しており、非常に根深く複雑である。

オーストリアから独立したユーゴスラビア（当初はセルブ＝クロアート＝スロヴェーン王国）はセルビア人、クロアチア人、スロヴァニア人を中心に多くの民族から構成される複合民族国家であった。１９８０年代に入ると、それぞれの民族の自立を求める動きは激しくなり、凄惨な内戦が起こった（ユーゴスラビア内戦）。結果、クロアチアやスロヴェニア、さらにはマケドニア（現在の北マケドニア）が独立を宣言、ユーゴスラビアは解体され、新たにセルビア人を中心とした新ユーゴスラビアが残ることになった。だが、ここで、コソヴォ問題が起こる。新ユーゴスラビアはセルビア人が主導しており、対してコソヴォはアルバニア人が多数を占める地域として、自治を要求していた。しかしセルビア人はコソヴォを徹底して弾圧したのであった。国際問題に発展し、紆余曲折を経て、２００８年にはコソヴォ共和国が独立を宣言している。

シャキリ選手はコソヴォに生まれたアルバニア系の選手であった。４歳にしてコソヴォを追われ、難民としてスイスへ移住して育った過去をもつ。セルビア人による迫害に対して反発があったため、セルビアからゴールを奪った際にアルバニアの国旗を象徴する「双頭の鷲《わし》」を両手で表現した、ということであった。

第１次世界大戦前の中国、大戦中のロシア、大戦後のオーストリア、いずれの帝国も解体されたが、自立できていない民族が存在し、解体しきれていなかったのである。

さて、ここまでのことを構成メモにまとめると、純也の目は最後のトルコ（オスマン帝国）に向けられていった。

民族自決が適用されなかった中東

トルコ（オスマン帝国）の解体は、他とは少し状況が異なっていた。というのは、確かにオスマン帝国は解体されたが、ヨーロッパの帝国とは異なり、「民族自決」が適用されなかったのである。それはオスマン帝国から切り離された領土がアジアであったことに起因する。

第8章や第9章で見たように、総力戦に協力した見返りとして、アジア・アフリカは戦後に独立運動を展開した。けれども、ヨーロッパ列強は植民地の独立は認めず、現状維持とした。ヨーロッパの「帝国」は否定しても、アジア・アフリカに展開された「帝国主義」については保留されたのである。ここに欧米のダブルスタンダードがあった。トルコから切り離されたアジアの領土を東欧諸国と同じように独立させてしまうと、アジア・アフリカの独立運動を刺激してしまう恐れがあったのである。そこで、トルコから切り離されるアジアの領土は、戦中のサイクス・ピコ協定に従い、国際連盟から委任されるという形でイギリスやフランスが統治する、という中途半端な政策がとられることになった。これは事実上の領土再分割であった。

中東に関わる現代の紛争といえば、クルド人の問題がある。これも純也はテレビで見たことがあった。ISIS（イスラム国）に関する報道のなかで、サイクス・ピコ協定について語られていたのを思い出した。オスマン帝国から切り離された領土は、この協定によって分割され、その際にクルド人の存在は無視されていたのだ。この不幸な民族は、トルコ、イラン、イラクに引き裂かれるように居住を余儀なくされ、どこの国でも少数民族となり、迫害を受けたのである。

また、この悪名高いサイクス・ピコ協定はパレスチナにも問題を残した。第9章で見た通り、第1次世界大戦中、イギリスはトルコに支配されていたユダヤ人とアラブ人に、パレスチナでの独立を約束して協力を引き出すという、矛盾した外交を展開した（バルフォア宣言とフサイン＝マクマホン協定）。ユダヤ人はパレスチナでの国家樹立という悲願（シオニズム）があり、アラブ人はトルコ人支配からの独立を目指していた。これはイギリスによる両者の弱みに付け込んだ秘密外交であった。

では、戦後にパレスチナはどうなったのか。やはりパレスチナも国際連盟からの委任という形で、イギリスが統治することが決められた。そのもとで、ユダヤ人とアラブ人の共存が目指されたのである。しかし、第2次世界大戦前、ナチスによるユダヤ人迫害が激しさを増すと、パレスチナへ移住するユダヤ人が増加し、両民族のパワーバランスは崩れ始めた。第2次世界大戦後、イギリスによる委任統治が終了すると、一気にパレスチナ問題が爆発することになり、4度にわたる中東戦争が勃発したのである。現在でも対立はくすぶっている。

純也は興味のある分野に関しては、気になったことを自分で調べたりしていた。そして、それらをきちんと覚えていたのである。東大の問題は現在に即しても出題される。歴史を見るということは現在を見ることでもあり、進むべき未来を断じることでもあるのだ。現在も時が経てば歴史になるのである。

純也は思い出したことを構成メモ（図表10‐1）に書き上げ、宮下を呼んだ。宮下から原稿用紙を渡されると、純也は次のように文章にまとめた。

図表10-1　帝国の解体とその後の状況（純也の構成メモ）

中国 清朝（戦前）	
解体の経過	辛亥革命 ・孫文が三民主義を掲げ、解体
その後の状況 （未解決の問題）	モンゴル人はモンゴル共和国として独立 問題 チベット人やウイグル人は中国にとどまる （のちに独立を求めてチベット・ウイグル騒乱）
ロシア ロマノフ朝（戦中）	
解体の経過	二月革命 ・レーニンが民族自決を掲げ、解体
その後の状況 （未解決の問題）	フィンランド・バルト三国・ポーランドが独立 問題 少数民族はソヴィエト連邦にとどまる （のちに独立を求めてチェチェン紛争）
オーストリア=ハンガリー帝国（戦後）	
解体の経過	サン=ジェルマン条約 ・敗戦とともに解体
その後の状況 （紛争の原因）	民族自決が適用されハンガリー、チェコスロヴァキア・セルブ=クロアート=スロヴェーン王国が独立 問題 複合民族国家にとどまった （のちに独立を求めてユーゴスラヴィア内戦）
オスマン帝国（戦後）	
解体の経過	セーヴル条約 ・敗戦とともに解体が始まる トルコ革命 ・ムスタファ・ケマルによって、解体
その後の状況 （紛争の原因）	民族自決は適用されず中東地域は委任統治領化 問題 パレスチナ問題 アラブ人はフサイン=マクマホン協定で独立を約束 ユダヤ人はバルフォア宣言でシオニズムの悲願達成を約束（のち中東戦争）

解答

第1次世界大戦前、中国では三民主義を掲げた孫文の辛亥革命により清朝が崩壊した。のち、モンゴル人はモンゴル共和国として独立を果たしたが、チベット人やウイグル人は中国に留まった。第1次世界大戦中、ロシアでは二月革命によりロマノフ朝が崩壊した。レーニンは民族自決を唱え、フィンランドやバルト三国、ポーランドの独立を許したが、樹立されたソヴィエト連邦に留まる少数民族も多かった。戦後、オーストリア＝ハンガリー帝国は敗戦によるサン＝ジェルマン条約で解体した。民族自決が適用され、ハンガリーやチェコスロヴァキア、セルブ＝クロアート＝スロヴェーン王国は独立を果たした。しかし、後者の二国は複合民族国家に留まった。オスマン帝国は、敗戦によるセーヴル条約で解体が始まり、のちのムスタファ・ケマルによるトルコ革命で崩壊した。民族自決は適用されず中東地域は委任統治とされた。パレスチナでは、フサイン＝マクマホン協定で独立を約束されたアラブ人と、バルフォア宣言でシオニズムの悲願達成を約束されたユダヤ人との間に問題が残った。（４５０字）

第11章　戦争の苦悩と惨禍・平和と解放の希求

ヨーロッパの歴史は主権国家の発展と民主主義の成長の歴史である。だが一方で、それは多くの戦争をもたらした。人類は、こうした戦争の度に平和を求め、知恵を絞ってきた。無論、第2次世界大戦でも同様である。

先延ばしされたアジア・アフリカの独立

そして、2度の世界大戦はヨーロッパの没落とアメリカの台頭、さらにはアジア・アフリカに独立の糸口を掴ませた。このようにして、現代世界の原型は生まれた。

「さぁ、いよいよ現代に関わる問題もやっていきましょうか。この問題は第2次世界大戦後の冷戦も視野に入ってくる問題です。前の問題で、『民族自決』はヨーロッパのみに適用され、『帝国』は否定されても『帝国主義』は保留されたことを確認しましたね。第1次世界大戦ののちも、アジア・アフリカの植民地に関しては現状維持とされたのです。第2次世界大戦ののちに、植民地はようやく独立を勝ち取ることになります」

だが、やはりそこにも問題はあったようだ。

「では、やってみましょう。いつものように構成メモが完成したら挙手してください」

宮下は第2次世界大戦までの歴史を振り返ったうえで、プリントを配っていった。

問題（２００５年）

人類の歴史において、戦争は多くの苦悩と惨禍をもたらすと同時に、それを乗り越えて平和と解放を希求するさまざまな努力を生みだす契機となった。

第二次世界大戦は１９４５年に終結したが、それ以前から連合国側ではさまざまな戦後構想が練られており、これらは国際連合など新しい国際秩序の枠組みに帰結した。しかし、国際連合の成立がただちに世界平和をもたらしたわけではなく、米ソの対立と各地の民族運動などが結びついて新たな紛争が起こっていた。たとえば、中国では抗日戦争を戦っているなかでも国民党と共産党の勢力争いが激化するなど、戦後の冷戦につながる火種が存在していた。

第二次世界大戦中に生じた出来事が、いかなる形で１９５０年代までの世界のありかたに影響を与えたのかについて、解答欄（イ）に17行以内で説明しなさい。その際に、以下の8つの語句を必ず一度は用い、その語句の部分に下線を付しなさい。なお、EECに付した（　）内の語句は解答に記入しなくてもよい。

大西洋憲章　日本国憲法　台湾　金日成　東ドイツ
EEC（ヨーロッパ経済共同体）　アウシュヴィッツ　パレスチナ難民

※文中の傍線は筆者の判断で重要と思われるところに付した。なお、1行は30字。

戦争による平和と解放の希求

（人類の歴史において、戦争は多くの苦悩と惨禍をもたらすと同時に、それを乗り越えて平和と解放を希求する様々な努力を生み出す契機となった……）

京子は、第8章で扱った三十年戦争、フランス革命戦争、第1次世界大戦に関する問題を思い出した。ヨーロッパでは、主権国家の誕生と民主主義の成長のなかで戦争を助長したり抑制したりする動きがあったのだった。

　無論、第2次世界大戦ののちにも平和を求める動きが生じ、戦後には国際連合が発足して国際平和が目指された。ただし、ご存じの通り、冷戦も同時に始まるのである。この問題では、平和を求める動きが、そううまくはいかなかったことに関する問題である。

（なるほど、平和と解放ね）

　京子は問われていることを瞬時に2つに分けた。問題において、戦争は「平和と解放」の2つを希求する努力を生む、としている。この判断が勝敗を分けたといっていいだろう。ここを読み取って解答に反映させないと、東大が望む解答にはならない。京子は平和と解放を軸に、地域（空間）ごとに指定語句を整理していった。

・平和
　世界　：大西洋憲章
　日本　：日本国憲法
　ヨーロッパ　：ＥＥＣ（ヨーロッパ経済共同体）
・解放

中国　　　：台湾
朝鮮　　　：金日成《キムイルソン》
ドイツ　　：東ドイツ
パレスチナ：アウシュヴィッツ
パレスチナ：パレスチナ難民

さらに、それぞれの地域を時期（時間）ごとにも整理することにした。問題では、戦中の構想が戦後の新しい国際秩序の枠組みになり、戦中の火種が戦後の冷戦につながるとしている。これを読み取れたこと自体に、京子の「読解力」が光る。構成メモの論理の枠組みは図表11－1のように整理されていた。

平和への努力

構成メモの表には論理の枠組みが反映されているので、片方が埋まっていれば、もう片方は論理を辿って考えていくことができる。例えば、日本は戦後に「日本国憲法」によって平和を希求した。それは、戦中の何かの結果、である。では何の結果だろう、と次に考えるべ

図表11-1　論理の枠組みが出来上がる（京子の途中の構成メモ）

平和への努力と新しい国際秩序		
世界	戦中	大西洋憲章
	戦後（結果）	国際連合
日本	戦中	
	戦後（結果）	日本国憲法
ヨーロッパ	戦中	
	戦後（結果）	EEC（ヨーロッパ経済共同体）
解放への努力と新たな紛争		
ドイツ	戦中	
	戦後（結果）	
朝鮮	戦中	
	戦後（結果）	金日成
中国	戦中	国民党と共産党の勢力争い
	戦後（結果）	台湾
パレスチナ	戦中	アウシュヴィッツ
	戦後（結果）	パレスチナ難民

きことが論理的に導き出せる。

（世界全体については、戦中も戦後も埋まっているから、肉付けをするだけね）

第２次世界大戦の目的が決定したのは、実は戦争が始まってしばらくしてからであった。当初は、独ソ不可侵条約が締結されていたことで、イギリス・フランスのドイツ・イタリアに対する立場は曖昧だったのである。しかしながら、独ソ戦が始まることで、戦争の対立関係は反ファシズム（イギリス・フランス・ソ連）とファシズム（ドイツ・イタリア・日本）とに定まった。戦中、連合国は大西洋上会談を開き、戦争の目的を明らかにした大西洋憲章を採択した。これが国際連合憲章の基礎となり、戦後の国際秩序の維持を図る国際連合（１９４５年発足）へとつながるのである。

（日本とヨーロッパについては、日本国憲法やＥＥＣが「戦後（結果）」に埋まっているから、これらを生み出す要因となった戦中の何かを考えればいいのね）

戦後の日本についても、戦中のポツダム会談で話し合われ、ＧＨＱ管理が決定していた。戦後、戦争放棄を謳う日本国憲法はＧＨＱ管理のもとで制定された（１９４６年成立）。

そして、戦後のヨーロッパ統合は、戦中のドイツとフランスの対立に端を発している。その反省から、戦後に石炭鉄鋼の共同管理を図るＥＣＳＣ（ヨーロッパ石炭鉄鋼共同体）が発足、さらに統合が進められてEEC（ヨーロッパ経済共同体、1958年設立）へと発展した。

だが、こういった平和への努力は、問題で言われているように、ただちに平和をもたらしはしなかった。なぜなら冷戦が始まるからである。

図表11-2　ヤルタ会談

分断される国々

戦前、各地では支配からの解放、つまりは独立に向けての闘争が行われており、戦中には自立に向けた構想が欧米諸国によって練られていた。ただ、そこには冷戦につながる火種も存在していたのである。

（ドイツは戦中も戦後も埋まっていない、けど戦後に持ち込まれたアメリカとソ連の対立は東西分断に決まってるわね。じゃあ、それを生み出した戦中の要因は……）

ドイツも、戦中のヤルタ会談（図表11‐2）で戦後について話し合われ、アメリカ・イギリス・フランス・ソ連の

4カ国によって分割占領することが取り決められた。しかし、冷戦は「ヤルタからマルタへ」と言われるように、このヤルタ会談でのイギリスとソ連の対立から既に始まっていた。戦後、ドイツには冷戦構造が持ち込まれ、東ドイツと西ドイツに分断された（1949年）。

（朝鮮半島は、戦後の金日成が埋まっているし、もちろん南北分断よね。じゃあ、それを生み出したのは……）

朝鮮半島についても、同じく戦中のカイロ会談で戦後の構想は練られていた。戦後、朝鮮は独立が認められたものの、北はソ連が、南はアメリカが分割占領することになり、それぞれ金日成の率いる朝鮮民主主義人民共和国と、李承晩《イスンマン》の率いる大韓民国へと分断され、冷戦の構造が持ち込まれるに至った。やがて代理戦争といえる朝鮮戦争が勃発（1950年）、戦争は現在も続いており、休戦しているにすぎない。

（中国は問題文に書いてある通りだから……）

京子の手はスラスラと構成メモを埋めていく。

中国では日本との戦いが行われていた。国民党と共産党による統一戦線（国共合作）が実現していたものの、実際には両党の対立はくすぶっていた。戦後の中国についての構想も、戦中のカイロ会談で話し合われていた。しかし、戦後になると国共内戦が勃発、共産党の毛沢東が勝利して中華人民共和国が樹立（1949年）される一方で、国民党の蔣介石《しょうかいせき》は台湾に逃れて中華民国を名乗った。ここに冷戦構造が持ち込まれ、前者はソ連が、後者はアメリカが支援することになった。大きく見れば、中国も未だに分断が続いているといえる。

（最後はパレスチナ。これも両方とも埋まっているわね）

　パレスチナにおけるユダヤ人の自立についても同様である。戦前から既にパレスチナでユダヤ人の国家を建国しようとする運動はあった（シオニズム）。これを加速させたのは、ナチスによる迫害である。アウシュヴィッツ強制収容所は有名である。これを受けて、ユダヤ人たちのパレスチナへの移住は加速することになった。これは先住のアラブ人たちの反発を買った。戦後、贖罪《しょくざい》の念にかられたヨーロッパ諸国や国内にユダヤ人を抱えるアメリカは、パレスチナでのユダヤ人国家であるイスラエルの建国を支援した。結果、ユダヤ人とアラブ人との間で中東戦争が起こり、のちに前者を欧米が支援、後者はソ連が支援して、やはり冷戦構造が持ち込まれた。戦争は多くのパレスチナ難民を生み出すことになった。

　こうしてみると、第2次世界大戦が終了して、多くのアジア・アフリカの国々が独立したものの、欧米諸国の影響から抜け出せていないことがよくわかる。現在を見るうえで、植民地主義の遺産、西洋中心主義の亡霊は、まだまだ残っているといえよう。

図表11-3　第２次世界大戦がその後の世界に与えた影響（京子の最終的な構成メモ）

平和への努力と新しい国際秩序		
世界	戦中	大西洋憲章 ・戦後の国際秩序の原則を示し、国際連合憲章の理念となる
	戦後（結果）	国際連合を創設
日本	戦中	ポツダム会談 ・GHQ管理が決定
	戦後（結果）	日本国憲法 ・平和主義を内容とした
ヨーロッパ	戦中	ドイツ・フランス対立への反省
	戦後（結果）	EEC（ヨーロッパ経済共同体）の創設 ・石炭鉄鋼の共同管理を図り、ECに発展
解放への努力と新たな紛争		
ドイツ	戦中	ヤルタ会談 ・ドイツ4か国管理を決定、しかし、イギリスとソ連の対立が表面化
	戦後（結果）	西ドイツと東ドイツに分裂 ・冷戦の影響を受け、分断国家を生み出す
朝鮮	戦中	カイロ会談 ・朝鮮の独立を決定
	戦後（結果）	朝鮮民主主義人民共和国と大韓民国に分裂 ・北緯38度線を境に北は金日成、南は李承晩 ・アメリカとソ連の代理戦争である朝鮮戦争を経て南北分裂が固定化
中国	戦中	国民党と共産党の勢力争い
	戦後（結果）	国共内戦 ・共産党が大陸に中華人民共和国建国、ソ連が支援 ・国民党が台湾に中華民国建国、アメリカが支援
パレスチナ	戦中	シオニズム運動 ・ナチスのアウシュヴィッツでのユダヤ人虐殺 ・パレスチナへの移住が急増
	戦後（結果）	パレスチナ分割案によりイスラエル建国 ・中東戦争が生起し、パレスチナ難民が発生 ・対立はアメリカとソ連が介入

京子は、構成メモ（図表11-3）をまとめ、プリントの上の消しゴムのカスを払うと、手を挙げ宮下を呼んだ。どうやら正しくまとめられているようだった。原稿用紙を受け取ると、次のようにまとめた。

解答

大戦中に米英首脳が大西洋憲章で示した戦後の国際秩序の原則は国連憲章へと引き継がれ、１９４５年に国際連合が設立された。しかし戦後処理をめぐり米英とソ連は相互不信を深め、この対立が戦後のドイツに西ドイツと東ドイツという分断国家を生み出す結果になった。また朝鮮半島でもソ連が支持する金日成が北に朝鮮民主主義人民共和国を、アメリカが支持する李承晩が南に大韓民国を独立させ、朝鮮戦争を経て南北分断が固定化された。中国では戦争中の国民党・共産党の勢力争いが戦後には国共内戦に発展し、共産党が中華人民共和国を建国、敗れた国民党は台湾に移り、米と結んで反共国家を維持した。日本はアメリカ占領下で戦力放棄を明記した日本国憲法がつくられたが、米ソ対立が激化するなかで、自衛隊が発足し西側陣営に属した。一方、ヨーロッパでは独仏対立への反省から戦後石炭鉄鋼の共同管理をはかるＥＣＳＣが成立し、これがＥＥＣへと発展していった。また大戦中のアウシュヴィッツなどでのユダヤ人虐殺を背景に、戦後国連はパレスチナ分割案を決議し、これをうけてユダヤ人がイスラエルを建国したため、アラブ側とパレスチナ戦争が起こり、多数のパレスチナ難民を生み出すことになった。（５１０字）

第3部　国際社会に残る問題とこれから

第12章　冷戦で分断された国々

それぞれの冷戦

「さて、第2次世界大戦後、アジア・アフリカの多くの国が独立を果たしていきました。しかしながら、前の問題で明らかになったように、解放は冷戦と結びつき、新たな紛争を生み出すことになりました。ここからは冷戦以降の問題を見ていきましょう。もう本当に現在をとらえていく問題ですね」

前置きをすると、宮下はこの問題の大きなポイントを指摘した。

「この問題は1993年の問題です。冷戦の終了は89年、東西ドイツの統一は90年ですから、当時の学生からしたら最新の問題ということになります」

東大の問題は現在の情勢を直接に反映させた問題を出題することもある。東西ドイツの統一はこの年の受験生が高校1年生の時の出来事である。なんとも酷であるが、やはり現在にアンテナをはっていないと解くことはできない。

宮下はプリントを配ると、ひとまず問題文を読むよう促した。

問題（1993年）

現在、世界は冷戦の終わりを迎えている。第二次世界大戦後、長期にわたって世界史の流れに大きな影響を与えた冷戦は、世界の各地域で異なった現れかたをした。冷戦下の深刻な問題の一つが分裂国家の出現であったが、これまでにヴェトナムとドイツの二つの分裂国家が統合されている。この二つの分裂国家の形成から統合への過程を、冷戦の展開と関連づけて略述せよ。解答は、下に示した語句を一度は用いて、解答欄（イ）に20行以内で記せ。また、使用した語句には下線を付せ。

ゴルバチョフ　ジュネーヴ会議　封じこめ政策　平和共存　ベルリンの壁

※文中の傍線は筆者の判断で重要と思われるところに付した。なお、1行は30字。

最初の疑問

東大の社会は誘惑との戦いだ。選択した社会２科目（例えば、世界史と日本史など）を、２時間という時間で解かなくてはならない。世界史をやっている時に日本史が気になる、日本史をやっている時に世界史が気になる。だが、己を信じてひとまずの答えを出していく必要があるのだ。

「では、今回は、世界史を１時間として40分でやってみましょう。いつもは構成メモを完成させてから原稿用紙を配布していますが、今回は原稿用紙も渡しておきますので、文章までやってしまいましょう」

問題文はベトナム（問題文ではヴェトナム）とドイツの分裂から統合までの流れを６００字でまとめるよう求めている。しかも、冷戦と関連づけながら、である。さっそく京子と純也は構成メモの表を書き始めた、が、２人ともすぐにペンは止まった。

（冷戦と関連づけて……か）

２人は鋭い。戸惑いは次のようなものだ。ベトナムの分裂から統合までの流れも、ドイツのそれも、当然ながら冷戦と関連づけて書かなければならない。解答用紙に文章として書いていく場合、冷戦について同じことを２回書くことになるのでは、というものである。しかしそんなはずはない。冷戦について、ベトナムとドイツで書く内容の住み分けは可能なのだろうか。けれども、それはこの時点では２人ともわからなかった。

（どうしよう……）

だが、迷っている時間はない。ひとまず構成メモの表を書いてみるしかなかった。そのなかで答えは出るだろう。京子と純也は、宮下の授業を思い出しながら構成メモに整理していった。

冷戦の開始とドイツの分断

「では、今日は冷戦についてです」

冷戦の予兆は、既に見たように、第２次世界大戦中のヤルタ会談に見ることができる。ここで資本主義と共産主義の対立が露呈《ろてい》した。１９４５年、大戦が終わると両者の対立は世界に認知されるものとなった。西側の資本主義陣営はアメリカを中心に、東側の共産主義陣営はソ連を中心に結束、世界は真っ二つに割れることになったのである。二項対立は逃げ場がなく、敵か味方かの２択になってしまう。そして、その対立は、不幸な形でドイツに持ち込まれてしまった。

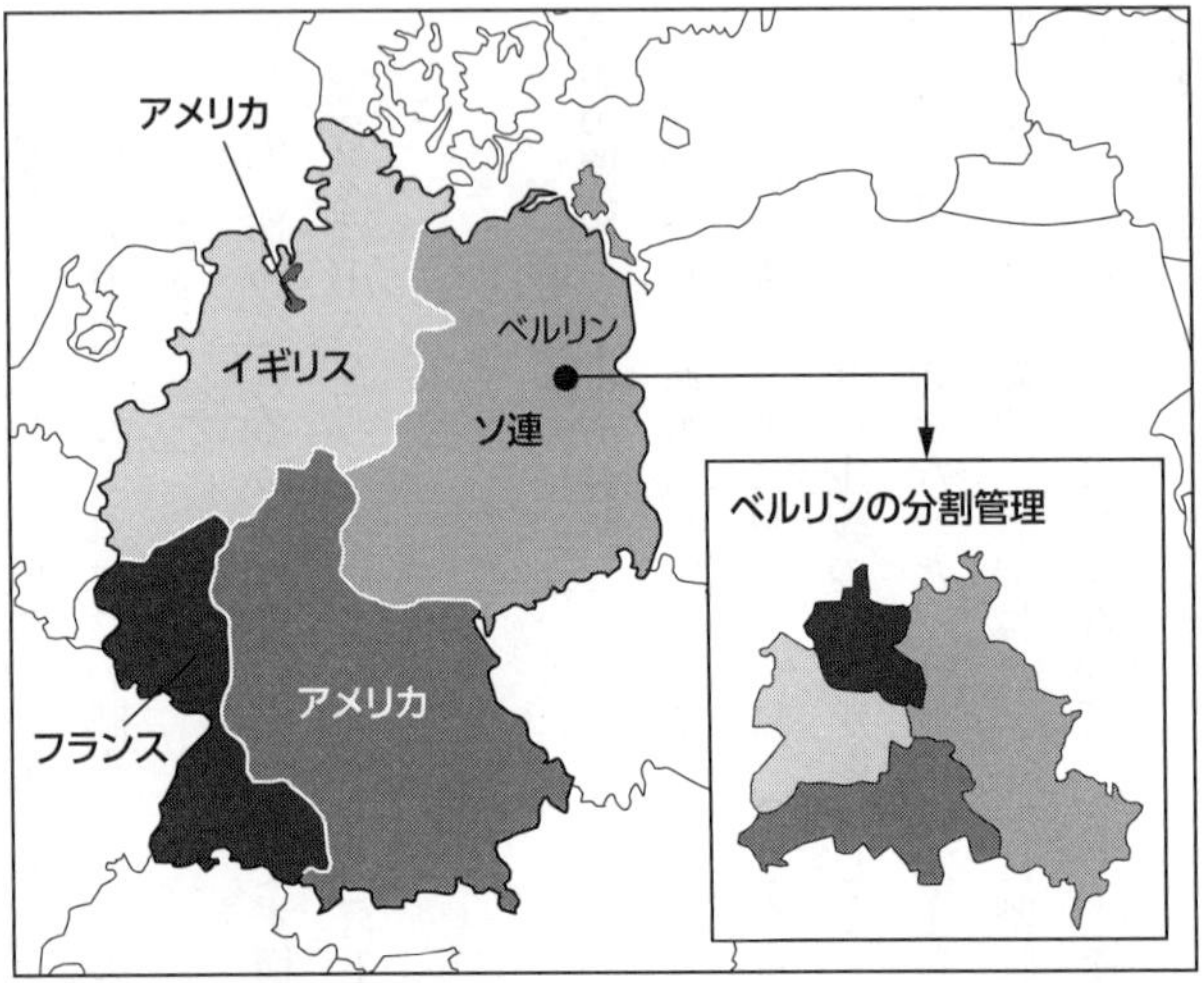

図表12－1　ドイツの分断

「ドイツを舞台に、分割占領（図表12－1）していた戦勝4カ国（アメリカ・イギリス・フランスとソ連）の間で対立が浮き彫りになり始めます。そして1949年、ドイツはついに東ドイツ（ドイツ民主共和国）と西ドイツ（ドイツ連邦共和国）に分断されることになりました」

同じ1949年、ソ連もアメリカに追随するように核を保有すると、冷戦の対立はさらに厳しいものになった。2つの陣営の対立に「勢力均衡」の原理が持ち込まれ、核による軍拡競争が始まってしまったのである。核を保有するアメリカとソ連は互いに核実験を繰り返し、軍事的な優位を誇示することに躍起《やっき》になった。だが、核戦争となれば世界は壊滅してしまう。

「『勢力均衡』は平和のための原理ですが、無限の軍拡競争を生むという欠点をもっていましたね」

核兵器はもはや使えない兵器となっていた。したがって、この対立は戦争にはならない「恐怖の均衡」を生み出した。これは一応、平和であることを意味する。けれども、1950年には「冷たい戦争」のなかの「熱い戦争」として朝鮮戦争が勃発した。アメリカとソ連が戦争をするわけにはいかないので、その子分たちに戦争をさせたのである。いわゆる代理戦争である。

「すぐ近くですからね。日本にも多大な影響がありました。GHQにより警察予備隊が創設され、1952年には主権を回復するに至ります。アメリカ軍から大量の戦争関連製品の発注があったため、日本は経済を急速に復興させることにも成功しました」

だが、1953年、ソ連のスターリンが世を去り、強力なリーダーが失われると、ソ連は対決への自信を失い始めた。新しいリーダーたるフルシチョフは平和共存政策を打ち出し、ソ連は西側へ歩み寄ることになる。1955年から始まる「雪解け」と呼ばれる束の間の緊張緩和の時代である。ソ連と西ドイツの国交が回復され、フルシチョフはアメリカを訪問して大統領のアイゼンハウアーと対談した。だが、この融和の空気はわずか5年しか続かなかった。アメリカの犯した愚行によって融和に冷水が浴びせられたのである。

図表 12‐2　ベルリンの壁建設

人類史上最大の危機

1960年、アメリカの偵察機U2がソ連の上空で撃墜され、スパイ行為が明らかになった（U2型事件）。アイゼンハウアーはスパイ行為を否定したが、偵察機の操縦士が捕まり、生きた証拠を突きつけられると一転して言い訳を始めた。奇襲をなしうる国の情報を知る必要がある、ソ連が隠すから調べざるをえない、パールハーバーは二度とごめんだ、と。しかし、これでソ連が納得するはずがない。世界は再び緊張の時代に逆戻りし、不信が不信を呼んで、ドイツには有名なベルリンの壁が建設されることになった（図表12‐2）。両者は再び激しい核の開発競争を展開するのである。

「冷戦の『恐怖の均衡』は核の開発競争という形になりました。第1次世界大戦がそうであったように、ここに火をつけてしまうと大変なことになってしまいます。実際、冷戦ではアメリカとソ連の関係に火をつけかけてしまいます。人類史上最大の危機であるキューバ危機ですね。両者が互いに核ミサイルを向けあったのです」

当時、京子は宮下の授業を聞いて、映画によくあるシーンだなと思っていた。アクション映画のように、互いに銃口を突きつけ合いながら「Put down your weapon!!（武器を捨てろ!!）」と言い合っているシーンはよくある。たいていの場合、何か物音がして、どちらかが引き金を引いてしまうものだ。

だが、キューバ危機では、アメリカのケネディ大統領とソ連のフルシチョフの水面下の交渉の末に、両国はなんとか核のボタンを押すことなく、乗り切ることになった。極度の緊張は緊張の緩和を生む。アメリカとソ連は部分的核実験停止条約の締結に至り、むしろ関係は好転していくことになった。

だが、ケネディ大統領が暗殺され、フルシチョフも解任されると、対立の舞台はベトナムへと移り、冷戦は新しい段階へと進むことになる。

ベトナムの分断

ベトナム戦争はアメリカの歴史における汚点の1つである。ベトナムはフランスの保護国であったが、第2次世界大戦が終了すると、ベトナムはホー＝チミンを中心に社会主義国として独立を宣言、これをフランスは認めなかった。北の独立政府に対して、フランスは南に傀儡《かいらい》政権を樹立して北を抑え込もうとしたのである。両国は戦争（インドシナ戦争）に至ったが、フランスが敗北してジュネーヴ会議で休戦協定を締結、フランスは撤退を余儀なくされた。こうしてベトナムの自立は実現した、かに見えた。というのも、ここでアメリカが諦めなかったのである。

アメリカは南に新たな傀儡政権を樹立し、フランスに代わる新たなリーダーとして居座った。こうして始まった2度目の南北の衝突がベトナム戦争である。

「ベトナムは、植民地主義に続いてアメリカとソ連の対立の影響に苦しむことになったのです。アジア・アフリカは、独立しても欧米に振り回され続けたんですね」

京子は宮下の授業を聞きながら、ベトナム戦争を描いた映画『プラトーン』の戦闘場面を思い出していた。アメリカはジョンソン大統領の時代に北爆を展開。しかし、ベトナムはジャングルを利用した激しいゲリラ戦を展開し、アメリカは思うように勝つことはできなかった。映画では、ジャングルで敵味方が入り乱れ、同士討ちまで起こるゲリラ戦の過酷さと、民間人を虐殺する残虐さが描かれ、京子は大きなショックを受けたことを覚えていた。

　ベトナム戦争は、戦場の生々しい映像が家庭に届けられた最初の戦争でもある。世界中の人が、アメリカがベトナムでいかに非人道的なことを行っているかを目の当たりにすることになったのである。もともと戦争では非人道的なことが行われていたはずだが、それを映像として一般市民が見てしまったとあれば、ショックを受けるのは当然であろう。結果、アメリカは世界中から非難を受けることになった。アメリカ国内で、ヨーロッパで、そして日本でも、ベトナム反戦運動が展開され、アメリカ社会は大きく揺らぎ始めた。結局、アメリカのベトナム政策は惨憺《さんたん》たる結果に終わり、パリ和平協定を結ぶと、ベトナムからの撤退を余儀なくされた。こうしてベトナムは統一に向かうこととなる。

「戦後、アメリカは国際的威信を大きく低下させることになります。自信を喪失したアメリカは東側へ歩み寄りを見せ始めます。『雪解け』とは異なり、今度はアメリカが東側へ歩み寄ったわけです」

　こうして始まった70年代の緊張緩和の時代を「デタント」と呼んだ。ベトナム戦争は冷戦に緊張緩和という形で影響を与えたといえる。

冷戦の終結

結局のところ、冷戦とは何であったのか。端的に言うなれば、冷戦は二極化によって緊張が高まり、多極化によって緊張が和らいでいった睨み合いといえる。根底にあるのは核の存在である。

冷戦が始まった頃、核を保有していたのはアメリカとソ連だけであった。ヨーロッパは大戦の痛手で荒廃しており、核保有国である両者を頼らざるをえなかった。こうして、アメリカに西欧が従属する形で西側陣営が形成され、ソ連に東欧が従属する形で東側陣営が形成されることで世界は真っ二つに割れた。二項対立は厳しい対立につながる。だが、やがてヨーロッパは戦争の痛手から復興を果たした。アジア・アフリカの国々も独立を果たし、東西いずれにも与さない第3勢力を形成した。そしてなんといっても、アメリカとソ連に続いてイギリス、フランス、中国と、核保有国が増加したことが状況を変えた。アメリカとソ連の指導力は低下し、二項対立は徐々に崩壊していったのである。

「核保有国が2国であったため、アメリカとソ連は東西陣営のリーダーたりえたわけですが（二極化）、核保有国が多くなれば、米ソの指導力が低下するのは当然でしょう（多極化）。核が緊張を高め、核が緊張を和らげた、核とは不思議なものですね」

80年代に入り、共産主義の限界が露呈し始めると、ソ連にゴルバチョフが登場した。彼はペレストロイカと呼ばれる改革やグラスノスチ（情報公開）を進めた。国内の不安は国外との関係に影響する。結局、１９８９年にアメリカのジョージ・H・W・ブッシュ大統領（父）との間にマルタ会談が開かれて、冷戦の終結が宣言されることになった。東欧諸国は次々に共産主義を放棄（東欧革命）、ドイツでもベルリンの壁が崩壊して統合が実現することになった。

純也は以前の授業の内容を思い出しながら構成メモを完成させていた。

おそらく、彼の解答は問題文に沿った模範にも見えるものとなっているだろう。しかし、

その頃、京子は構成メモをまとめながら別のことに頭を悩ませていた。

真に求められている解答

京子の構成メモは純也のそれと大差はなかったが、原稿用紙に文章を書くことをためらっていた。これでは歴史の流れを単純に記述しているだけだ。京子は東大の問題を解くなかで、東大がそんな単純な問題を出すはずがないことをよく知っていたため、自分の構成メモに自信が持てなかったのである。

（どうしよう。このまま文章を書き始めてしまおうか）

東大の社会は2科目を2時間という時間で解かなくてはならない。学力とは異なる自己制御の能力まで必要となる。

（一応、問題文をもう一度読もう）

宮下は常に言っていた。問題文を何度も読め、問題文で与えられた指示に従え、と。そう、「いき詰まったら問題文」である。

（「長期にわたって世界史の流れに大きな影響を与えた冷戦は、世界の各地域で異なった現れかたをした。冷戦下の深刻な問題のひとつが分裂国家の出現であったが」……！）

思わず京子はハッとした。明らかだった。なぜ最初に気づかなかったのか。

（異なった現れかた……そうかこれは比較の問題なのか）

東大は「ベトナムとドイツの相違について」を求めている。しかし、先述の通り、比較の問題はやっかいだ。比較側面を明らかにしなければならない。

（異なった、現れかた……）

日本語的に「異なっている」のは「現れかた」だから、比較側面は「現れかた」だ。ただ、現れかたを比較しろといっても漠然としすぎている。京子は時計に目をやった。時間がない。

もう書き始めないと間に合わない。構成メモには合格するために十分であろう知識と流れが書いてある。このまま書いてしまっても支障はない。京子は納得がいかなかったが時間を優先して書き始めることにした。

（どちらの国から書くべきか……これはドイツからのほうが書きやすいだろう）

原稿用紙の1文字目のマスに京子はペンを向けた。が、その時、モヤモヤが急に晴れ始める。

（そうか！）

ドイツからのほうが書きやすいと判断した時点で違いは明らかなのだ。これは最初に危惧した冷戦の記述の重複についての問題も氷解させた。よく構成メモ（図表12－3）を見れば、ドイツとベトナムでは冷戦について書いてある質が明らかに異なる。構成メモの上でも「現れかた」は異なっているということだ。京子の頭は一気に整理され、この問題の意図を把握した。

分断の相違

比較の問題は、最後に一言、その違いを明確に表現できるか否かが勝負だ。つまり具体的

図表12-3　ドイツ・ベトナムで異なった現れかたをした冷戦（京子の構成メモ）

ドイツ		
分裂		冷戦の開始 ・トルーマン大統領による封じ込め政策により東西対立が激化 西のドイツ連邦共和国、東のドイツ民主共和国に分裂 ・アメリカとソ連の対立が持ち込まれる
経過	雪解け	雪解けの始まり フルシチョフの平和共存政策 ・ソ連と西ドイツは国交を回復
	緊張	雪解けの終わり ベルリンの壁構築 ・東西ドイツは再び厳しく対立
	デタント	多極化によるデタント 西ドイツのブラント政権による東方外交 ・東西ドイツ基本条約の締結や東西ドイツ国連同時加盟を実現
統合		冷戦の終結 ・ゴルバチョフによるペレストロイカ、西側への歩み寄り 東西ドイツの統一 ・ベルリンの壁も崩壊
ベトナム		
分裂		インドシナ戦争 ・再支配を狙うフランスの介入によって分断
経過		ジュネーヴ会議 ・休戦が実現したが、アメリカは介入を続行 北のベトナム民主共和国、 南のベトナム共和国に分断が固定 ベトナム戦争
統合		パリ和平協定 ベトナム社会主義共和国に統一 アメリカ軍は撤退 ・アメリカの国際的威信は低下、多極化とデタントへ向かった

な事象を抽象的に把握する「語彙力」を必要とする。ドイツは冷戦と全体的に関わっているが、ベトナムは部分的にしか関わっていない（図表12-4）。冷戦の始まりとともにドイツは分断され、冷戦の終わりとともにドイツは統合された。冷戦の緊張が高まればドイツに影響し、緩和が進めばドイツに影響する。冷戦の象徴はドイツであり、冷戦の影響を受けているのがドイツなのだ。しかし、ベトナムはどうだろう。デタントと多極化にしか関わっていない。つまり冷戦に影響を与えているということだ。よく見れば、ドイツのところには冷戦の概要が書かれてあるが、ベトナムのところにはデタントについてしか書かれていない。内容の質を見ればそれは明らかだ。

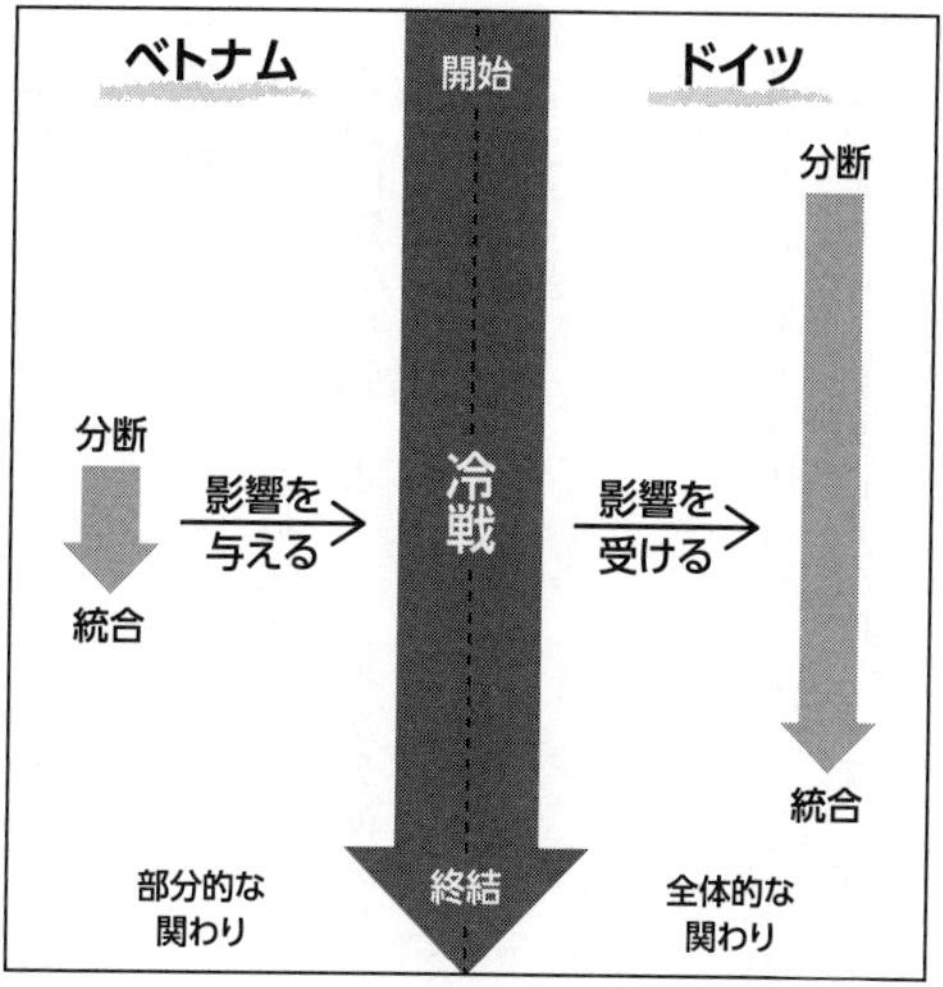

図表12-4　冷戦とドイツ・ベトナムの関係

京子はパズルの最後のピースがはまったような感覚に襲われた。構成メモを修正し、原稿用紙に文章としてまとめていった。

冷戦の終了がもたらしたもの

宮下は生徒たちの原稿用紙を回収すると、次のようにつけくわえた。

「この問題は冷戦によって各地が分断されていたことがわかりますね。ドイツとベトナムです。けれども、ドイツもベトナムも、やがては障壁が取り払われ統合されていきました。冷戦が終了して世界はどうなったのでしょう。それはそれでまた新しい問題が出てくることになります」

冷戦の終了によって変化したことは大きく3つある。

1つ目は、世界のリーダーにアメリカが君臨したことである。冷戦の時代、世界はアメリカとソ連を中心に東西に分断されていた。しかし、東側の共産主義陣営は崩壊、ソ連も解体され、ロシア連邦が成立するとともに多くの独立国家が誕生した。事実上、西側が勝利したのである。こうなると、アメリカに対抗する勢力はいなくなる。世界のリーダーになった時のアメリカ大統領がジョージ・H・W・ブッシュ（父）であった。

2つ目は、分断の時代が終わったことで、障壁が取り払われ、グローバル化が進んだことである。グローバル化が進展する理由としてもちろん技術革新も大きいが、なにより障壁が取り払われたことが大きい。こうして、１９９０年代に入ると、世界はアメリカのもとでのグローバリズム（パクス・アメリカーナ）の時代に転換した。

「冷戦終了後はアメリカの文化、例えばコカ・コーラやマクドナルドといったものがより世界に浸透していくことになります。あるいは、技術の分野では、インターネットが開発されて、情報という意味でもアメリカのMacやWindowsが世界をつないでいくことになります」

アメリカはグローバル化する世界のリーダーとして各地の紛争に介入し、時に支援を、時に制裁を行った。冷戦終了直後に生じた湾岸戦争（１９９１年）では、アメリカ大統領のジョージ・H・W・ブッシュ（父）が多国籍軍を組織、強力なリーダーシップを発揮した。

３つ目は、民族紛争が多発したことである。冷戦の終了は敵国の喪失をも意味した。外との対立がなくなれば、内での対立が出てくるものである。それまで不満を抑え込まれていた少数民族たちが自立・独立を求め始め、第10章で見た「未解決」の問題が噴出し始めるのである。チェチェン紛争やユーゴスラビア内戦などである。

「そういった現代の問題は次の問題で扱いましょうか」

解答

冷戦が始まり、米トルーマン大統領が封じこめ政策を展開すると、東西の対立は激化した。東西に分割占領されていたドイツには米ソ対立が持ち込まれ、西のドイツ連邦共和国、東のドイツ民主共和国に分裂した。雪解けが始まり、フルシチョフによる平和共存政策が展開されると、ソ連と西ドイツの国交は回復した。しかし、雪解けの終わりとともにベルリンの壁が構築され、再び東西ドイツは厳しく対立した。70年代に多極化によるデタントが始まると、西ドイツのブラント政権は東方外交を展開して、東西ドイツ基本条約の締結や東西ドイツ国連同時加盟を実現した。ゴルバチョフがペレストロイカを推進、西側への歩み寄りを見せるなかで冷戦は終結した。翌年、ベルリンの壁は崩壊して東西ドイツは統一に至った。一方、ヴェトナムでは、再支配を狙うフランスの介入によって分断、インドシナ戦争が勃発した。ジュネーヴ会議で休戦が実現したが、アメリカは介入を続け、北のヴェトナム民主共和国と南のヴェトナム共和国に分断が固定された。対立はヴェトナム戦争に発展したが、パリ和平協定が結ばれてヴェトナム社会主義共和国に統一された。敗北したアメリカは撤退、国際的威信を低下させ、冷戦は多極化とデタントへ向かった。ドイツは冷戦と全体的に関わったがヴェトナムは部分的にしか関わっていない。ドイツは常に冷戦の影響を受けた。しかし、ヴェトナムは冷戦に大きな影響を与えている。（595字）

第13章　植民地主義の遺産

東大の問題は現在の情勢を直接に反映させた問題を出題することもある。宮下は次なる問題を配り始めた。

「まず、この問題の指定語句にある『宗教的標章法』の注を読んでみましょうか。『2004年3月にフランスで制定された法律。「宗教シンボル禁止法」とも呼ばれ、公立学校におけるムスリム女性のスカーフ着用禁止が、国際的な論議の対象になった』と書かれていますね」

これは、この年の受験生が小学4年生の時の出来事である。

「この出来事を知っている人はいますか?」

顔をあげる生徒はいない。

「では、この法律についてどう思いますか?」

生徒は考え込んだが、すぐに発言があった。

宗教的標章法の背景

「差別、だと思います」

ムスリム（イスラーム教徒）女性のスカーフ着用禁止はムスリムに対する差別であろうということである。他の生徒たちも肯定的な表情をしている。

「そうですね。けれども話はそれほど簡単ではありません。フランスは『自由・平等』という概念を生み出した国ですよ。実は、これは信教の自由を守るための法律として制定されたものです。この問題を解いていくなかで、その意味がわかるかもしれません。では、まず問題文を読んでみてください」

生徒は驚いた表情をしながらも、問題文に目を向けた。

問題（2012年）

ヨーロッパ列強により植民地化されたアジア・アフリカの諸地域では、20世紀にはいると民族主義（国民主義）の運動が高まり、第一次世界大戦後、ついで第二次世界大戦後に、その多くが独立を達成する。しかしその後も旧宗主国（旧植民地本国）への経済的従属や、同化政策のもたらした旧宗主国との文化的結びつき、また旧植民地からの移民増加による旧宗主国内の社会問題など、植民地主義の遺産は、現在まで長い影を落としている。植民地独立の過程とその後の展開は、ヨーロッパ諸国それぞれの植民地政策の差異に加えて、社会主義や宗教運動などの影響も受けつつ、地域により異なる様相を呈する。

以上の点に留意し、地域ごとの差異を考えながら、アジア・アフリカにおける植民地独立の過程とその後の動向を論じなさい。解答は解答欄（イ）に18行以内で記し、必ず次の8つの語句を一度は用いて、その語句に下線を付しなさい。

カシミール紛争	ディエンビエンフー	スエズ運河国有化
アルジェリア戦争	ワフド党	ドイモイ
非暴力・不服従	宗教的標章法（注）	

（注）２００４年３月にフランスで制定された法律。「宗教シンボル禁止法」とも呼ばれ、公立学校におけるムスリム女性のスカーフ着用禁止が、国際的な論議の対象になった。

※文中の傍線は筆者の判断で重要と思われるところに付した。なお、1行は30字。

現代にも残る植民地化の影響

問題文を生徒たちが読み終えたのを確認すると、宮下は再び話を始めた。

「何度も見てきたように、アジア・アフリカ諸国は、日本とは異なって、植民地化された経験をもっています。アジア・アフリカ諸国の現在を見るうえで、どこに支配されていたかを知っておくのはとても重要です。なぜなら植民地化の影響は現在にも色濃く残っているからです。これは、海外に旅行に行けばわかることです。ただ皆さんには経験がまだないかもしれない。でも、スポーツの国際大会を見ていて気づいた人もいるのではないですか？　ヨーロッパのナショナルチームではアフリカ系の選手がいたりすることがあるでしょう」

純也は２０１８年のサッカーワールドカップのロシア大会を思い出していた。この大会で日本は試合終了間際のたった14秒のカウンターで、優勝候補のベルギーにベスト８を阻まれた。その中心選手であったルカク選手はアフリカ系である。優勝したフランスも代表選手の半分近くがアフリカ系であった。

ヨーロッパの国々に白人のイメージをもっている人にとっては、アフリカ系の選手がいることを不思議に思うかもしれない。だが、そこには植民地主義の遺産があるのである。ベルギーのルカク選手は植民地であったコンゴ（コンゴ民主共和国）にルーツをもつ。フランスのアフリカ系選手の多くも、アルジェリアやモロッコなどをルーツとしていたりする。

「日本代表の選手に韓国系の人がいることもありますよね」

確かに……生徒はそういった表情をしている。

「では、そういった話につながるものとして、まずは構成メモをまとめてみましょう。『宗教的標章法』は少し難しいので、それ以外の部分を構成メモにまとめましょうか。その後に少し解説をしましょう」

問題の整理

純也は指定語句を地域（空間）ごとに整理した。

・カシミール紛争　……イギリスとインド

・非暴力・不服従　…イギリスとインド
・スエズ運河国有化　…イギリスとエジプト
・ワフド党　…イギリスとエジプト
・ディエンビエンフー　…フランスとベトナム
・ドイモイ　…フランスとベトナム
・アルジェリア戦争　…フランスとアルジェリア
・宗教的標章法　…フランスとアルジェリア

ヨーロッパで見れば２つの地域（イギリスとフランス）について、アジア・アフリカで見れば４つの地域（インド・エジプト・ベトナム・アルジェリア）について整理すればいいことがわかった。時期（時間）は、独立とその後に分ける。そして、書くべき事象に関しては、次の通りである。

・独立の過程
・その後の展開（長い影）…旧宗主国への経済的従属
旧宗主国との文化的結びつき（同化政策による）
旧宗主国内の社会問題（移民増加による）
・地域ごとの差異…植民地政策の差異の影響
社会主義の影響
宗教運動の影響

「問題文とは制限」である。それは多いほうが書きやすい。この問題では、時間（時期）と空間（地域）に加え、書くべき事象についても様々な制限がかかっている。あとはそれを具体化していけるかどうかである。

イギリス支配の負の遺産

イギリスは19世紀の後半にインドを植民地化して、悪名高い分割統治によって支配していた。その結果、ヒンドゥー教徒とイスラーム教徒の間には対立が生じていた。これを統一して団結させたのが、イギリスへと留学し、南アフリカでの活動で国際経験を積んでいたガンディーであった。彼は海外留学や海外就業などの国際体験をもとに思想を形成し、インドに帰国したのちに非暴力・不服従運動を展開した（第7章）。しかし、やがて両者の対立は再燃。イギリスはインドを手放したが、ガンディーは暗殺され、ヒンドゥー教徒とイスラーム教徒の対立も解消せず、ヒンドゥー教徒はインドとして、イスラーム教徒はパキスタンとして、両者は分離独立することになった。その後も対立は続き、両者はカシミール紛争を直接の原因として、3度の印パ戦争を戦い、核戦争の危機も叫ばれるほど厳しく対立した。

イギリスはインドに2つの宗教の対立という負の遺産を残した。一方で、インドの独立は許しても、なかなか手放せなかったのがエジプトである。

イギリスはインドへの中継地点となるスエズ運河の位置するエジプトを保護国化していた。エジプトは、第1次世界大戦でイギリスに協力した見返りとして独立を求め、戦後、ワフド党を中心に独立運動を展開した。結果、イギリスはエジプトの独立を承認したが、スエズ運河の支配権は手放さなかった。

第2次世界大戦ののち、エジプトのナセル大統領（図表13‐1）はスエズ運河の国有化を

図表13-1　ナセル

宣言した。イギリスは、ナセル大統領の排除を狙って、隣国のイスラエルにエジプトを攻撃させた。当時、欧米諸国の支援を受け、ユダヤ人はイスラエルを建国していたが、周辺のアラブ諸国とは厳しく対立していた。イギリスは、これを利用して、イスラエルにアラブ諸国を代表するエジプトを攻撃させたのである。こうして始まったのが第2次中東戦争であった。イギリスは国際社会から非難を浴び、結局、スエズ運河を手放すことになった。エジプトはここでようやくイギリスの影響から脱したのである。

アルジェリアの独立と依存

フランスは19世紀末、ベトナムを保護国化していた。ベトナムでは、やはり第7章で見たように、国際経験を積んだホー＝チミンを中心にして抵抗が進められた。ホー＝チミンは共産主義に傾倒し、インドシナ共産党を組織して独立を目指した。第12章で見たように、第2次世界大戦後には、社会主義の国として独立を宣言。しかし、フランスが再支配を狙ったため、インドシナ戦争が勃発した。ベトナムは、フランスの最後の拠点であるディエンビエンフーを陥落させて勝利、フランスはベトナムの独立を承認するに至った。

しかしながら、そこにアメリカが干渉した。フランスに代わって、アメリカはベトナムの南部に傀儡政権を樹立、北部のホー＝チミンの勢力に対抗を続け、ベトナム戦争を引き起こした。アメリカは国際社会から非難を浴び、戦争に敗北、ベトナムから撤退を余儀なくされた。戦後、ベトナムは南北を統合して社会主義の国として独立を果たし、統一を実現した。その後は、ドイモイと呼ばれる改革開放政策を展開し、経済の立て直しに成功していった。

またフランスは、イギリスと同様に、ベトナムの独立は許してもアルジェリアの独立はなかなか認めなかった。

フランスはアフリカ北岸のアルジェリアも保護国化していた。イスラームを信仰する地域である。フランスは同化政策を進め、フランス文化を強制していた。第2次世界大戦ののち、アルジェリアは独立を求めてアルジェリア戦争を引き起こした。しかし、フランス政府は、資源が豊富なアルジェリアの独立を認めず、戦争は混乱を極めた。フランスは抵抗に手を焼いたが、ド・ゴールに解決を委ね、エヴィアン協定を結んでようやく独立を承認した。だが、その後もフランスとアルジェリアの文化的な結びつきは強く、ムスリムの移民が増加してフランス社会には問題が生じた。そこで制定されたのが「宗教的標章法」であった。

純也は「宗教的標章法」の使い方がはっきりとはわからなかったが、ひとまずの構成メモ(図表13－2)をまとめ、宮下の解説を待った。

「政教分離」獲得の歴史

「さて、構成メモはだいたいできましたか。最初にお話しした『宗教的標章法』については、少し難しいかと思いますので、解説をしておきます」

この指定語句に関して、純也と同じく多くの生徒の手は止まっていた。

「フランスには『ライシテ』という言葉があります。これは『政教分離』のことで、信教の自由を保障する、民主主義の原則を指します。これが歴史のなかでどのように生まれてきたのか、今一度、主権国家の発展と民主主義の成長の歴史を振り返ってみましょう」

そもそも、なぜ国家は生まれたのか。第8章で触れたように、思想的には「人間が存在意義を模索した結果」である。一方で、政治的には別な理由がある。政治的には「人間が暴力から解放されることを模索した結果」といえる。

16世紀から17世紀、まだ主権国家が初期段階にあった絶対主義の時代、有名なホッブズが

**図表13-2　アジア・アフリカの植民地主義の遺産
（純也の構成メモ）**

インド	
政策	分割統治 ・イギリスはヒンドゥー教徒とイスラーム教徒を分断 ガンディーによる非暴力・不服従運動
独立	インド・パキスタンは分離独立 ・第2次世界大戦後、ヒンドゥー教徒はインド、イスラーム教徒はパキスタンに
その後の展開	カシミール紛争
エジプト	
政策	インドとの中継地点として支配 ワフド党による民族運動
独立	独立を達成 ・イギリスの保護権を廃止、ただしスエズ運河の駐兵権は保留
その後の展開	スエズ運河国有化を契機に第2次中東戦争が勃発 ・イギリスはイスラエルを支援、敗北してスエズ運河より撤退
ベトナム	
政策	フランスの支配
独立	第2次世界大戦後に独立を宣言 フランスが再支配を狙ってインドシナ戦争が勃発 ・ディエンビエンフー陥落で敗北、独立を承認
その後の展開	国家の分断 ・冷戦の影響でベトナム戦争が勃発 ・勝利して社会主義国として完全独立 ・ドイモイによる改革開放政策を実施
アルジェリア	
政策	同化政策 ・フランスの文化を強制 アルジェリア戦争が勃発
独立	独立を承認
その後の展開	移民増加による社会問題 ・フランスとの文化的結びつきは移民を増加させた ・宗教的標章法などムスリムの扱いをめぐって社会問題化?

登場した。彼は「国家」が形成され始め、宗教戦争が頻発するなかで登場したイギリスの人物である。ホッブズは、国家が存在しなかった大昔の「自然状態」を想定して、国家が生まれる過程を説明した。

ホッブズは著書『リヴァイアサン』において、自然状態を「万人の万人に対する闘争」と表現した。自然状態では、人間は暴力を行使する権利を欲望に従って互いに発動してしまい、人間たちは自滅してしまう、だから、そうならないためにも人間は国家を形成したのだ、と。自然状態を想定して、国家がないことの欠点を検討することで、国家があることの理由を論証したのである。

ホッブズは、ここで「社会契約」という概念を用いた。自由・平等な個人が相互に約束をすることで国家が形成された、とする考え方である。ホッブズは、自然状態の「万人の万人に対する闘争」は誰にとっても都合が悪いので、人々は、暴力を行使する権利を放棄することを相互に約束し、そして、その暴力を行使する権利は、国家を形成して国家に正しく管理してもらうことにした、と考えたのである。これがホッブズの説明する「国家」の誕生であった。

「ただし、ホッブズは当時の絶対王政を擁護《ようご》しました」

当時は「朕《ちん》は国家なり（君主＝国家）」の時代である。暴力を国家に管理してもらうということは、君主に管理してもらうことを意味した。ゆえに、全権を委任した君主による専制、すなわち絶対王政は当然である、としたのである。これが初期段階の主権国家であった。ホッブズのなかでは、これで人々が暴力から解放されるはずであった。

「しかし、絶対主義の国家はうまくいきませんでした」

国王（国家）は、不当な逮捕や投獄など、しばしば暴力を私的に乱用して市民に向けて発動した。あるいは、国王（国家）はしばしば宗教と結びついたため、暴力を特定の宗派の市民に向けて発動した。結果、生命は脅かされ、そして激しい宗教弾圧や宗教戦争が繰り返されることになったのである。そこで、市民たちは立ち上がって革命を起こすに至った。

「市民革命とは、国王（国家）に譲渡した『暴力』を市民の手にとり戻す行為であった、ともいえるのです」

「自由・平等・博愛」のスローガンのもとで人権の存在が確認され、さらに国家と宗教の分離が定められることで個人の信教の自由も勝ち取られることになった。

「では、市民たちが取り戻した『暴力』はどうなったのでしょうか」

ロックやルソー、そしてモンテスキューらの登場である。ロックは著書『市民政府二論』

において、政府に「暴力」を管理させることを説き、政府が「暴力」を不当に人民に向けた場合は、革命を起こして打倒してもかまわない、とした。ルソーは人民主権を説き、政府は人民の代表によって組織されるべきであるとした。さらに、モンテスキューは三権分立を説き、政府の他に、行政や司法に権力を分散させ、権力の乱用を防ぐことを提案した。

「こうして、いわゆる民主主義の『国家』が誕生しました。そして、人間は『暴力』から解放されたのです。我々が、不当に生命を奪われたり、財産を奪われたりせずに済むのは、こうした人類の英知の結晶ともいえるシステムのおかげなのです」

問題の「政教分離」もこうした文脈のなかでとらえるべきであろう。

フランスのライシテ

フランスは、16世紀に激しい宗教戦争を経験している（ユグノー戦争）。それは政治権力と宗教権威が結びついていたからであった。戦後には、個人の信仰の自由を許す王令が発せられた（ナントの王令）。だが、それはルイ14世によって覆され、「朕は国家なり」として、国王はカトリックと結びつき、フランスをカトリックで統一しようとした。結果、国外へ多くのプロテスタントが亡命を余儀なくされた。

「そして、フランス革命です」

革命によって、カトリックと結びつく国王は市民によって打倒された。国王から「暴力」が市民の手にとり戻され、国家と宗教の分離を規定、個人の信教の自由が勝ち取られることになったのである。だが、ナポレオンが登場すると、再び国家と宗教は結びついた。

こうした揺れ動きの末に、１９０５年、ようやく政教分離法が制定されると、国家や公立学校を脱宗教化して、私的領域における宗教の自由が保障されるに至った。これがライシテである。

「フランスでは国家と宗教の分離、個人の信教の自由というのは、カトリックと結びつく国王が打倒されることで市民が勝ち取った重要な権利であると認識されています」

だが、のちにカトリックとは異なるイスラームの問題が浮上した。

「１９８０年前後からフランスでは、北アフリカの植民地からムスリムの移民が増加していきます。そしてフランス革命２００周年にあたる１９８９年に事件は起こりました」

パリ郊外の公立学校において、ムスリムの女子生徒がスカーフ（ヘジャブ）を身につけて登校したところ、教師によって教室に入ることを拒否されてしまったのである。これはライシテを主題として、国論を二分する問題に発展した。生徒を支持する者は信教の自由を侵害しているという。けれども、学校を支持する者は、教室にスカーフを身につけて入ることは公立学校に宗教を持ち込むことであり、ひいては個人の信教の自由を圧迫することになる、という。第1章で見たように、フランスの自由・平等は平等に寄っている。違いを強調することは問題になるのである。

欧米とイスラームが衝突する理由の1つは、イスラームが政教一致を本来の原則としている部分にある。イスラームでは生活における様々なルールがある。1日礼拝は5回、女性は肌を見せてはならない、豚肉は食べてはならないなど。それらを遵守していこうというのであれば、国家そのものがイスラームの原則で成り立っていないといけなくなる。つまり、イスラームにとって、宗教は個人の内面の問題にはとどまらないのだ。

フランスにおける「自由」とは

「事件の内容を知って、皆さんは改めて『宗教的標章法』についてどう思いますか？」

生徒は誰一人、発言しようとする気配はなく、困った表情をしていた。この言葉の背景にある想定を超えた広がりを知ったからであろう。

「他にも、信教の自由とも関わりつつ、表現の自由について、フランスではこんな事件もありました」

　続いて宮下が紹介し始めたのは、２０１５年、週刊紙を発行するシャルリー・エブド社がイスラーム過激派に襲撃され、12人が死亡したという事件である。背景には週刊紙がイスラームの創始者であるムハンマドの風刺画を掲載したことがあった。イスラーム圏では、風刺画に対する激しい抗議が巻き起こっていたのである。

「けれども、フランスではエブド社を擁護する意見が大勢を占めました」

　イスラームが偶像崇拝を禁止していることを生徒たちは知っているためか、意外な顔をしている。

「表現の自由を守るためです。そして２０２０年9月、エブド社はムハンマドの風刺画を再掲載しました。週刊紙は30万部売れたといいます」

　さらに、宮下はたたみかける。

「エブド社は国際テロ組織アルカイダからの警告に対して次のような声明を出しました。『自由に敵対するものは、意見も信念も異なる我々全員が共に断固としてそれに対抗するということを理解しなければならない』。そしてマクロン大統領はこう言います。『フランス人であることは、風刺する自由を擁護することだ。冒涜《ぼうとく》の自由も保障されている』と」

ひと通りの宮下の解説を聞いて、純也は想像が追いつかなくなっていた。フランスの「自由」は純也の考える「自由」を超えていた。確実にいえることは、もっと色々なことを知らなければならないということだけだ。この東大の問題は、純也にとっては記憶に残るものとなった。

解答

イギリスはインドを分割統治で支配、ヒンドゥー教徒とイスラーム教徒の分断を図った。ガンディーを中心に非暴力・不服従運動が展開されたが、両教徒は対立を深め、第2次世界大戦後にそれぞれインド、パキスタンとして独立した。両国の対立はカシミール紛争に発展した。イギリスはインドの中継地点としてエジプトを支配した。第1次世界大戦後、ワフド党による民族運動を受けて独立を承認したが、スエズ運河の駐兵権は保留された。スエズ運河国有化を契機として、イギリスはイスラエルを支援して第2次中東戦争を引き起こしたが、敗北してスエズより撤退した。フランスはベトナムを支配したが、第2次世界大戦後にベトナムは独立を宣言した。

フランスは再支配を狙ってインドシナ戦争を引き起こしたが、ディエンビエンフーが陥落してベトナムが勝利すると独立は承認された。だが、冷戦の影響で国家は分断されるとベトナム戦争が勃発。戦後、社会主義国として完全独立を果たし、ドイモイによる改革開放政策が行われた。フランスはアルジェリアを同国文化を強制する同化政策を展開して支配した。アルジェリア戦争によって独立が達成されたが、フランスとの文化的結びつきは移民を増加させ、宗教的標章法などイスラーム教徒の扱いをめぐる社会問題に発展した。（537字）

第14章　経験なきアジア

崩れる「現代史＝冷戦」

この問題は２０１０年末に始まった「アラブの春」を意識した問題であろう。受験生が中学生だった時の出来事である。

「私が学生の頃は、現代史といえば冷戦だったのですが、もう時代は変わったようです。この問題は、現代史として初めて冷戦後が視野に入った問題です」

２０２１年の現在、高校３年生の多くは２００３年生まれである。イラク戦争が勃発した年の生まれで、アメリカ同時多発テロの２年後の生まれである。教師にとって悩ましいのは、自分の年齢はどんどん上がっていくが、生徒は顔ぶれは変わっても年齢は変わらないということだ。自分の見られ方は年とともに変えられていくうえに、生徒の見方も常に変えていかなければならない。それは高校３年生に対して問題を作成する東大の教授たちにとっても同じであろう。

「皆さんはアメリカ同時多発テロが起きた時には、まだ生まれていないと思いますが、『アラブの春』や『パリ同時多発テロ』は聞いたことがありますよね」
生徒たちは頷いている。
「では、やってみましょう。これは現在に直接関わる問題です。構成メモを書き終えたら、少し解説をしましょうか」

問題（2016年）

第二次世界大戦後の世界秩序を特徴づけた冷戦は、一般に1989年のマルタ会談やベルリンの壁の崩壊で終結したとされ、それが現代史の分岐点とされることが少なくない。だが、米ソ、欧州以外の地域を見れば、冷戦の終結は必ずしも世界史全体の転換点とは言えないことに気づかされる。米ソ「新冷戦」と呼ばれた時代に、1990年代以降につながる変化が、世界各地で生まれつつあったのである。

以上のことを踏まえて、1970年代後半から1980年代にかけての、東アジア、中東、中米・南米の政治状況の変化について論じなさい。解答は、解答欄（イ）に20行以内で記述し、必ず次の8つの語句を一度は用いて、その語句に下線を付しなさい。

アジアニーズ（注）　イラン＝イスラーム共和国　グレナダ　光州事件
サダム＝フセイン　シナイ半島　鄧小平　フォークランド紛争

（注）アジアの新興工業経済地域（NIES）

※文中の傍線は筆者の判断で重要と思われるところに付した。なお、1行は30字。

冷戦終了直前の世界情勢

（あまり解いたことのない時間軸の問題だわ）

京子は問題文を読みながら、宮下の言葉を実感していた。これまでに現代史が出題されたことはあるが、ほとんどは冷戦に関する問題であった。だが今回は冷戦とは関係ない。解き慣れていないぶん、京子は問題に難しさを感じた。

京子はまず、書くべき事象が「政治状況の変化」で、それは「１９９０年代以降につながる変化」と整理した。まだ京子にはピンとこなかった。でも、ひとまず指定の時間（時期）と空間（地域）について書いて考えてみるしかない。指定されているのは１９７０年代後半から１９８０年代、そして東アジア、中東、中米・南米、である。中米と南米を区別するのであれば、書くべき地域は４つだ。京子は、指定語句から書くべき国家を特定していった。

・アジアニーズ：韓国（東アジア）
・イラン＝イスラーム共和国：イラン（中東）
・グレナダ：グレナダ（中米）
・光州事件：韓国（東アジア）
・サダム＝フセイン：イラク（中東）
・シナイ半島：パレスチナかエジプト（中東）
・鄧小平《とうしょうへい》：中国（東アジア）
・フォークランド紛争：アルゼンチン（南米）

東大がこういった形式の問題を出す場合は、指定語句から割り出される国のみについて書けばよい、ということを京子は知っている。

京子はまず東アジアから手をつけた。中国は指定語句として鄧小平（図表14－1）が与えられている。

アジアが抱える民主化の問題

70年代後半といえば文化大革命の混乱が終了する頃、言い換えれば、毛沢東が死んで鄧小平に実権が戻った頃だ。鄧小平は「4つの現代化」をスローガンに掲げて改革開放政策を推進、経済の自由化を進めることで、疲弊した国力の回復に成功していった。80年代に入り、冷戦が終結に向かうと、中国でも政治の民主化を求める運動が起こった。だが、政府に徹底的に弾圧されて政治の民主化は阻止された。有名な天安門事件である。

韓国でも同様のことが起こっていた。韓国は、70年代にはアジアニーズに数えられるまでに経済を成長させたが、政治の問題が残っていた。朴正煕《パクチョンヒ》による独裁が続いていたのである。だが朴正煕が暗殺されると、政治の民主化を求める運動が起こった。一度は全斗煥《チョンドウホアン》らに鎮圧され（光州事件）、独裁は維持されたが、80年代の終わりには盧泰愚《ノテウ》政権が成立し、政治の民主化を実現した。

（なるほど……確かにアラブの春と同じだ）

最初の宮下の話を思い出し、京子は笑みがこぼれた。東大が現在を意識して出題していることに気づいたようだ。京子はニュースをよく見ており、中東地域で政治の民主化を求める運動が相次ぎ、独裁政権が次々に革命によって倒されていったのを覚えていた。

（確か、リビアかどこかで……カダフィだっけが、死んだんだっけ）

２０１０年から12年にかけて北アフリカのアラブ世界から広まった一連の革命は「アラブの春」と呼ばれる。運動がFacebookやTwitterで拡散していったところに特徴があった。

図表14-1　鄧小平

しかし、その多くが失敗に終わり、民主化のタイミングについては改めて考えさせられる出来事となった。

この問題はそういった情勢を反映しての出題だったが、高校生に洞察させるにはなんとも酷なものである。国際情勢にアンテナをはる京子は問題のキーワードを「民主化」だと気づくことができたが、普通はできることではない。

（となると……「民主化」を軸に各国の変化を答えに書いていけばいいのね）

京子は早速、構成メモにある中国と韓国の欄を埋めた。

節目は冷戦終了前に

次に京子が手をつけたのは中東である。指定語句からすると、言及すべきはイランとイラク、パレスチナ、もしくはエジプトだ。

図表14-2　ルーホッラー・ホメイニ

イランでは、イラン＝イスラーム革命が起こると（１９７９年）、ホメイニ（図表14－２）がイスラームを国家原理とする宗教国家（イラン＝イスラーム共和国）をつくりあげ、強い反アメリカ・反ソ連路線を明確にした。一方、イラクにはフセイン（図表14－３）が登場。イラン＝イスラーム革命に乗じてイラン・イラク戦争を引き起こし、アメリカはイランを打倒するためにイラクのフセインを強力に援助した。結果、イラクは軍事大国に成長してフセインの独裁政治は強化された。冷戦が終結する90年代以降のアメリカとイラン、あるいはアメリカとイラクとの関係はここから生まれたといえる。

アメリカは、イランを敵視し、イラクを支援していたが、冷戦が終結するとイラクに対する態度は一変した。ジョージ・Ｈ・Ｗ・ブッシュ大統領（父）の時代には、クウェートへの侵攻を行ったイラクを、湾岸戦争（１９９１年）でさんざんに制裁を加えたのである。この時、世界は冷戦を終え、アメリカとソ連の対立が過去のものになったため、アメリカは世界のリーダーに君臨していた。アメリカは新しい時代に入ったことを強調し、リーダーシップをアピールしようとしたのである。だが、それでもフセインの独裁は維持された。

２０００年代に入り、父親の果たせなかったことを果たそうと躍起になった息子が、ジョージ・Ｗ・ブッシュ大統領（子）である。彼は２００１年の同時多発テロで気が立っていたこともあり、強引にイラク戦争に踏み切った（２００３年）。大義は、イラクが大量破壊兵器を保有していることと、イラクをフセインの独裁から解放して、民主化を実現するということであった。結果、イラクは大敗してフセインは処刑されるに至った。キーワードを見出したことで、ここも、京子はサラサラと

図表14-3　サダム・フセイン

表に整理していく。

パレスチナでは、アメリカのカーター大統領の仲介でエジプト・イスラエル平和条約が結ばれていた（１９７９年）。これは、エジプト（アラブ側）のサダト大統領と、イスラエル（ユダヤ側）のベギン首相の間で、国交正常化とシナイ半島の返還に合意したものだった。だが、エジプト（アラブ側）のサダト大統領はアラブ連盟諸国やＰＬＯ（パレスチナ解放機構）から激しい反発を受け、暗殺されてしまった。勝手な和解は許されないというわけだ。だが、冷戦が終結して90年代に入ると、アメリカのリーダーシップのもとでジョージ・Ｈ・Ｗ・ブッシュ大統領（父）が中東和平会議を開催、クリントン大統領の時代にはパレスチナ暫定自治協定の締結に向かっていった。

一方、エジプトのサダト大統領が暗殺され、新たに就任したのはムバラク大統領であった。彼はイスラエルやアラブ諸国との関係改善を進めたが、国内では独裁体制を樹立した。

（そういえば、「アラブの春」でムバラク大統領は失脚したわね）

京子は、最初は戸惑ったものの、今は自分の方針が正しいことを確信していたようだった。

最後は中米と南米、グレナダとアルゼンチンである。状況は似たり寄ったりであろう。問題文には「新冷戦」と書いてある。この時代のアメリカといえばカーター大統領に続くレーガン大統領の時代であり、イギリスはサッチャー首相の時代であった。ともに新保守主義と呼ばれる「小さな政府」に舵《かじ》をきった強い指導者だ。レーガン大統領は「強いアメリカ」をスローガンにして、ソ連に対しては強硬な態度を示した（新冷戦）。そのなかで、ラテンアメリカの反アメリカ・親ソ連政権には積極的な介入を行ったのだ。グレナダも親ソ連政権が樹立されていたが、アメリカの介入によって打倒された。アルゼンチンはイギリスとの間にフォークランド紛争を引き起こしたが、イギリスのサッチャー首相は強硬な態度で臨み、諸島を奪還した。その結果、アルゼンチンの軍事政権は退陣して民主化が実現することになった。

京子は構成メモ（図表14‐4）を書き上げると、シャーペンの芯をトンと戻した。

独立はしたが、うまくはいかない

「この問題は現在の世界をとらえるうえで非常に重要ですね。原稿用紙に文章を書く前に、少し解説を加えておきましょう」

宮下は生徒がひと通り構成メモを書き終えると、教室を見渡しながら話し始めた。

「欧米諸国とアジア・アフリカ諸国を対置させて現在の世界をとらえた場合、それは例えば

図表14-4　20世紀後半の世界各地の政治状況の変化（京子の構成メモ）

中国	
70年代後半 〜 80年代	改革開放政策 ・文化大革命終了後に鄧小平が実権を掌握 ・「4つの現代化」をスローガンに改革開放政策を推進 天安門事件 ・政府が弾圧して民主化を阻止
その後	政治の民主化に失敗、経済発展には成功 （社会主義市場経済）
韓国	
70年代後半 〜 80年代	アジアニーズに数えられ、高い経済成長率を実現 光州事件 ・朴正熙大統領暗殺後に生起 ・鎮圧して全斗煥が成立し、独裁政権を樹立 ・しかし、のちに盧泰愚政権が成立
その後	政治の民主化に成功、経済発展にも成功
イラン・イラク	
70年代後半 〜 80年代	イランでは革命によりイラン=イスラーム共和国が成立 ・イランは宗教国家に転換 イラクではサダム・フセインが独裁政権を樹立 イラン・イラク戦争 ・アメリカがイラクに軍事援助を行ったため軍事大国に成長
その後	政治の民主化に失敗（湾岸戦争やイラク戦争へ）
パレスチナ	
70年代後半 〜 80年代	エジプト・イスラエル平和条約 ・国交正常化とシナイ半島の返還に合意 ・アラブ諸国とPLOが猛反発 ・サダトが暗殺され、ムバラクが独裁を維持
その後	政治の民主化に失敗（オスロ合意へ向かう）
ニカラグア・グレナダ・アルゼンチン	
70年代後半 〜 80年代	グレナダに反アメリカ政権が成立 ・レーガン大統領が「強いアメリカ」を掲げて介入 アルゼンチンには軍事政権が成立 ・サッチャー首相がフォークランド紛争で強硬に対応し崩壊
その後	政治の民主化に成功

大人と子供、あるいは先生と生徒の関係に似ている気がします」

生徒たちはきょとんとした顔をしている。

「第2次世界大戦後、アジア・アフリカの国々の多くは独立を許されました。もちろん、これはいいことですね。けれども、アジア・アフリカの国々は、独立とともに多くの問題を抱えることになりました」

宮下の言う問題とは植民地主義の遺産である。

「植民地時代に行われた統治、あるいは植民地時代に引かれた国境、そこから国家対立や民族紛争が生じてしまったんです」

植民地時代に行われた統治がもたらした問題は、印パ戦争（第13章）やパレスチナ問題（第10章・第11章）、そしてアフリカのルワンダ内戦などである。植民地時代に引かれた国境がもたらした問題は、中東のクルド人の問題（第10章）、あるいは、コンゴ内戦をはじめとする、アフリカの多くの国々で生じた民族紛争である。

「こうした国家対立や民族紛争のなかで、アジア・アフリカ諸国には人権侵害や核の開発を始める国も出てきました」

アジア・アフリカ諸国が悩んだのは植民地時代に要因をもつ問題だけではない。

「独立を果たした時、世界は欧米によってつくりあげられてきた主権国家体制でした。アジア・アフリカ諸国は『はい、じゃあ植民地支配はやめますが、世界は主権国家体制なので、これからきちんとまとまりのある国家として自立してくださいね』と言われても、すぐには難しいでしょう。皆さんも『はい、じゃあ国民には勤労の義務があるので、これからきちんと国民として働いて自立してくださいね』と言われても、やっぱりすぐにはできないでしょう。同じことです。そこで、アジア・アフリカ諸国のなかには、なんとかまとまりのある国にしようと、独裁や宗教といった力によって政治を行う国が登場してきました」

ラテンアメリカのような人種と民族の坩堝の世界では特に大きな問題になった。アルゼンチンやチリなどでは独裁政権が樹立され、東南アジアでもビルマやフィリピンで独裁政権が樹立された。中東では、イランのようにイスラームにもとづく宗教政治を始める国家もあった。こうした政治は人権侵害を伴うことがある。

「要するに、独立したアジア・アフリカは、欧米諸国のつくりあげた民主主義や主権国家といった秩序にすんなりとはなじめなかったんです。君たちも、今いきなり社会に一人で放り出されたら、うまくいかなくて喧嘩をしたり生活が荒れてしまうと思います」

もちろん、多くの血が流れながらも、欧米諸国のつくりあげた秩序、すなわち自由で平等な民主主義、主権国家で形成される国際社会に適応していった国家もあった。韓国は光州事件で犠牲を払いながらも民主主義に進んだ。だが、北朝鮮の民主化は遠く、核開発を続けている。ビルマでもアウン・サン・スー・チーが軟禁されつつも、のちに解放されて民主化へと舵を切った。それでもロヒンギャ問題では人権侵害を指摘され、今また軍部が政権を握ってしまった。あるいはフィリピンでもベニグノ・アキノ暗殺などを経験しながらも民主化が実現した。しかし、ドゥテルテ大統領による麻薬密売人たちの大量処刑は人権問題として非難を浴びた。

経験のある欧米、経験のないアジア・アフリカ

「こうしたアジア・アフリカの問題に対しては、国連やアメリカを中心とする欧米諸国が介入しました。国家対立や民族紛争、あるいは独裁政治や宗教政治を終わらせ、つまりは人権侵害や核の開発をやめさせるため、そして民主主義へと移行させるため、国際社会で自立させるため、時に支援を行い、時に制裁を行いました。まるで先生が、クラスになじめない子や、暴力をふるったりする子に、時に助けてあげたり、時に叱ったりしているのと同じことです」

だが、ここにも、つまり国連やアメリカを中心とする欧米諸国の側の態度にも大きな問題がいくつもあったのである。挙げればキリがないが、両者の間にある最も難しい問題を挙げると「アジア・アフリカ諸国は、自由・平等などの人権を保障する民主主義のシステムを自力で勝ち取ってきた、あるいは主権国家を自力でつくりあげてきた歴史を歩んでいない」ということであった。

現在の世界の秩序をつくりあげたのは、見てきた通り、欧米諸国である。自由・平等などの人権といった概念、民主主義といったシステム、主権国家という概念は、欧米諸国が流血を伴いながら、歴史とともに見出してきた価値観である。それは現在、一定の普遍性が認められて世界に普及している。こうした普遍的な価値観を否定することは現状として難しい。だが、アジア・アフリカ諸国はそういった歴史を歩んできていない。つまり「経験」がない。だから、実感としてわからないのだ。

「例えば、大人は君たちに『一流の大学に行ったほうがいいよ』とか『有名な会社に入ったほうがいいよ』とか言うでしょう？　それはある程度は正しいことです。大人は経験から、ある程度、どうすればいいかをわかっているんです。けれども、君たちからすれば『それは大人の押しつけだ』とか、『それはお母さんの考えであって、私は違うの！』とか、思うこともあるでしょう？　けど、実際に大人になってみれば『やっぱり親の言うこと聞いておけばよかったかも』なんて思うことも多いかもしれません。君たちは、この例でいえば子の立場ですけれども、それがアジア・アフリカ諸国の立場なんです。気持ちはわかるんじゃないですか？　アジア・アフリカ諸国は経験がないからわからないんです。こういった子に対して、経験のある大人たちが言う言葉はいつも同じです。『あんたは子供だからわからないのよ、大人になればわかるから』というものですね。言われたことあるんじゃないですか？当然、君たちは『いや、私はまだ大人じゃないから』と言いたくなりますよね。あるいは『偉そうに、お前も昔は子供だっただろう』とも言いたくなるかもしれません。難しいですね」

生徒たちはあるあるといった表情をしていた。ただ宮下の話はそこで終わらない。

「ただ、大人たちの気持ち、つまり欧米諸国の気持ちも君たちはわかるはずですよ」

生徒たちの目が動く。

「君たち高校3年生は部活では最年長でしょう。後輩に対して思うことはたくさんあるんじゃないですか？　『文化祭の時はこうしたほうがいいよ』とか、『中学生の時はこういうことしがちだよね』とか。あるいは『中二病』という言葉がありますが、『中二病』という言葉は、中学2年生くらいの時の言動に対して『あ〜、そういうイタいこと言っちゃう時期あるよね〜』って思う人が多いことから、生まれた言葉でしょう。君たちだって後輩を見ていて思ったことがあるはずです。じゃあ、中学2年生の後輩に『その発言、イタいよ、君もそのイタさが高校生になればわかるよ』と言ったところで、後輩は『いや、私はまだ高校生じゃないから』とか『偉そうに、お前も前は中2だっただろう』と言われちゃうと思いますよ。これが欧米諸国の立場なんです。欧米諸国は経験してきたからわかる、けど、経験したことのないアジア・アフリカには、なかなかわかってもらえないんです」

　生徒は両者の気持ちがわかるようで、複雑な表情に変わった。宮下はその様子を見て、「現在」の国際関係について話を展開していく。

「欧米諸国は言います。『核の開発はダメだよ』と。対してアジアは『お前たち欧米諸国だって冷戦の時に核開発や核実験を繰り返したじゃないか！』と言いたくなります。すると、欧米諸国は『いやだから冷戦を経験したからこそダメだってわかったんじゃないか。敵国に対抗するために核の開発をすると、無限の軍拡競争が起きちゃう。だから開発しちゃだめなんだって。キューバ危機のような危機を経験することになってもいいの？』と言いますが、アジアはそれに納得できません」

さらに宮下は畳み掛けるように話を続けた。

「欧米諸国は言います。『独裁政治はダメだよ』『宗教政治はダメだよ』と。対してアジアは『お前たち欧米諸国だって昔は独裁政治をやっていたじゃないか！』と反論します。あるいはイスラーム圏の人は言います。『欧米諸国の価値観を押し付けるな！　我々の宗教は政教一致を原則としているんだ！』と。そこで、欧米諸国としては『いやそうかもしれないけど、だからこそ自由・平等にもとづく人権の概念や民主主義のシステム、そして政教分離の原則を生み出してきたんじゃないか。独裁政治をすると人権侵害になるし、宗教政治をやると宗教戦争が起こるよ？　我々が経験したみたいに血みどろの宗教戦争になってもいいの？　君たちのことが心配で言っているのに……』と主張するわけですが、アジアにはなかなか伝わらない。親が子に『あなたのためを思って言っているのよ』と言うのと同じことです。そう言われても、皆はなかなか受け入れられないでしょう」

宮下の言葉に生徒はどんどん腑に落ちていくようだった。

「そして、アジア・アフリカは極めつきの一言を言います。『こんなことになっているのはそもそもお前らが侵略して支配したのが悪い！』と。これを言われてしまうと、欧米諸国は何も言えません。せいぜい『ゴメンてば、だから支援しているじゃん。それにだからといって人権侵害や核の開発をしていいわけではないでしょう』と主張するしかありませんね」

これは、親と子、兄姉と弟妹、あるいは先生と生徒などなどの間でも見られることである。常に新しい世代が生まれてくる以上、必ず「経験」を共有できないことによる軋轢《あつれき》という問題は残り続けるだろう。宮下も戦争を経験していない。そのうち東日本大震災を経験していない世代が高校生になるのだ。

欧米諸国の傲慢と反省

それでも民主主義という普遍的な価値観は、およそ否定の難しい概念である。アジア・アフリカが民主主義の段階へ移行することは望ましいことではある。だが、欧米諸国は、特に世界のリーダーたるアメリカは、アジア・アフリカに民主化を強いてはいけないし、急いでもいけない。欧米諸国がイラク戦争やアラブの春で学んだのはそういうことだった。

「大人……ここでは先生としましょうか。アメリカは冷戦が終わって世界のリーダーになりましたね。だからアメリカは担任の先生としましょう。アメリカ先生は、イラク君が『煙草を吸っているだろう』と疑って証拠もないのに体罰を加えました。その乱暴な指導は生徒からも、そして同僚の先生たちからも非難されました。しかも、鞄を取りあげて調べてみたところ、煙草はなく、イラク君は煙草を吸っていませんでした。これがイラク戦争（２００３年）です。イラクは大量破壊兵器を保有してはいなかった。そしてイラクは無理矢理に民主主義を強制されることになりました。もしかしたら、アメリカは『フロンティア』という感覚が抜けないまま、外へ目を向けているのかもしれませんね。そしてフロンティアの開拓と銃は不可分なものです」

この時、アメリカを支持したのは日本とイギリスであった。

「この失敗から、欧米諸国は、民主化は強制的であってはならず、自発的でなければならないことを学びました。無理矢理ではなく、アジア・アフリカ諸国が自ら民主主義を理解して、自らの力で民主主義に移行してもらわなければいけないということです」

こういった葛藤《かっとう》は、先生と生徒の間では本当によくあることだ。

「それからしばらくして、中東地域は、民衆が立ち上がって独裁政権を次々と崩壊させる『アラブの春』を迎えました（２０１０～２０１２年）。当初、欧米諸国は好ましい状況と考えました。先生たちも『ようやくわかってくれたか』という思いだったんです。けれども、その多くは失敗に終わり、中東地域は混乱に陥って状況はむしろ悪化しました。中東地域に民主主義は、まだ早かったのです」

こうした混乱から、シリア内戦が勃発、ＩＳＩＳ（イスラーム国）も登場してくることになる。中東地域は以前にもまして荒廃してしまった。まだ独裁政治をやっていたほうが人は死ななかったかもしれない。

「この失敗から、欧米諸国は民主化が自発的であったとしても、急いではならない、環境が整ったうえでなければならない、ということを学びました。例えば、不登校の子供を強制的に登校させてはいけませんね。自発的であったほうが良いでしょう。ただし、自ら学校に行くと言い出したとしても、本当に学校に行ってうまくいくか、その子にあったタイミングを考えなければならないし、環境を整えたほうが良いはずです」

大人が自覚しなければいけないことは、傲慢になってはならないということだ。親が子に、東大でなければダメだとか、文学部は就職が難しいから法学部に進学すべきだとか、強制的であっては、時に子は問題を抱えてしまう。それよりも、本人と向き合って、本人の意志に耳を傾け、本人にあったタイミングで言葉をかけることが重要なはずだ。

「先生だって絶対中立ではないし、絶対正義でもないですね。先生のなかには一部の生徒を贔屓《ひいき》している人もいるかもしれないし、先生同士の対立が生徒指導に影響することもあるかもしれない。そして何より先生だって間違えることもあります。パレスチナ問題でアメリカ先生はアラブ君よりユダヤ君の肩をもちました。そこにはアメリカ先生によるユダヤ君贔屓があったり、冷戦という欧米の事情との関わりがありました。あるいはイラク君への体罰は不当なものでした。先生は生徒を公平に見なければならないし、先生の事情を指導に反映させてはいけません。先生は生徒一人一人の意志や状況に応じて、タイミングを見て指導しなければいけません」

「先生の事情」でいえば、しばしば学校と塾・予備校の先生の間では相互に批判が起こる。「その先生の教え方は違う、私の教え方のほうが正しい」といった具合にである。だが、それは学生を困惑させるだけであり、学生のためにはならない。

生徒は、喩えが喩えなだけに、複雑な表情をしていた。一方で、宮下は自分に言い聞かせているようでもあった。

「さて、理不尽で不公平なアメリカ先生に我慢ならなくなった生徒のなかで、先生に反撃する生徒たちが出てきました。先生とまともに戦っても勝てないから、戦争ではなくテロという手段で反撃を始めたのです」

「戦争」と「テロ」の暴力は違う

２００１年、アメリカで起きた同時多発テロは世界に衝撃を与えた。21世紀はどうなってしまうんだろうと不安に思った人は少なくないはずだ。実際に、これ以降、世界は戦争ではなくテロの時代となってしまった。

「アメリカ先生は、中東の一部にとっては理不尽で暴力的な先生でした。まともに戦っても勝てないので、過激な人々はテロでもって徹底的に反抗したのです」

生徒たちは、身の回りのことから想像を膨らませているようだ。

「『テロを許してはいけない』、当然ですね？　けれども、そもそもテロを容認してはいけないというのは、なぜなのでしょう」

生徒たちは困惑した。人を殺すなどということは許されるはずもないからだ。だが、同じ「暴力の行使」「武力の行使」でも、戦争とテロでは意味が全く異なる。

我々は先人の知恵の蓄積の上に現在を生きている。我々が、むやみに財産を奪われないで済むのは、あるいは生命を奪われないで済むのは、先人たちのつくりあげた、「人間が暴力から解放されることを模索した結果」のおかげである（第13章）。

現在、「武力の行使」は一定の管理のもとで、一定の目的であれば行使が認められている。

自衛と制裁の場合である。つまり、戦時国際法のもとで「管理された暴力」であれば行使は認められているのである。だが、テロは「管理されない、分別のない暴力」であり、「恐怖」によって要求を通そうとするものである。ゆえに、テロはそういった先人たちのつくりあげた知恵を全て壊してしまう行為といえる。少なくとも、「万人の万人に対する闘争」に回帰したくないのであれば、人権が守られた民主主義の世界で生きていたいのであれば、テロを容認してはいけない。

「では『テロを許してはいけない』に対して、『テロに屈してはいけない』というのはどういう意味なのでしょう？　よく聞く言葉ですね。なぜ屈してはいけないという表現になるのでしょう？」

生徒は考え込んだ。

テロに屈してはいけない

「昔、ダッカ事件というハイジャック事件が起こりました。日本の過激な左翼グループが乗客乗員を人質にとって、収監されている仲間の解放を要求したのです。時は福田赳《たけ》夫《お》首相の時代です。どのように対応したと思いますか？　あるいはあなたならどうしますか？」

生徒にとって、60年安保や70年安保などは、全く経験がない。日本にも左翼グループがいて、テロも交えて活動していた人たちがいるなどとは想像も及ばないだろう。

「福田赳夫首相は『人の命は地球よりも重い』と述べて、超法規的にテロリストの要求を受け入れました。乗客乗員を助けるためです。日本社会は多くがそれを支持しました。けれども国際社会からは非難を受けることもありました。『テロに屈する』ことになるからです。テロに屈してしまうと、テロリストは『テロを起こせば要求が通る』と考えて、さらにテロを起こします。テロによって人質が犠牲になったとしても、未来の犠牲を増やさないためにも、テロリストの要求を受け入れてはいけないのです。もちろん、現在の命と未来の命と、比較することはできません。それに人質がかわいそうと思う人は多いでしょう。それは誰にとっても同じです。だからこそ、屈してはいけない、という表現になるのです」

生徒は難しい表情をしている。

「もっと言えば、欧米諸国の支配の歴史が悪だったとしても、アメリカ先生が理不尽だったり不公平だったりしても、テロという手段をとって反抗してはいけない。テロという手段をとった時点で、欧米諸国は要求をのむわけにはいきません。人権や民主主義を守るためです。正当な主張があるなら、アジア・アフリカ諸国も適切な手段をもって対抗しなければならないのです」

確かに、「管理された暴力」を行使した結果として、誤爆によって民間人を巻き込むことはあり、許されるものではない。しかし、それと「管理されない、分別のない暴力」の行使によって民間人を巻き込むことは決定的に異なる。あるいは「テロリストがテロを起こすには相応の理由がある、アジア・アフリカの欧米に支配されてきた歴史や、アメリカの理不尽で不公平な態度にも目を向けるべきだ」という姿勢も、否定せざるをえない。それこそがテロリストの論理であり目的であるからだ。議論の順番としては、「管理された暴力」を行使した結果として民間人が巻き込まれないようにするにはどうすればいいか、理不尽で不公平な対応にならないためにはどうすればいいか、を考えることが先決である。

さて、こうして多くの批判を浴びたアメリカに、ついに時代を変える1人の男が登場することになる。トランプ前大統領である。

「リーダー」をやめたアメリカ

「From this day forward, it's going to be only America First, America First!（今日、これから、ただひたすらアメリカ第一、アメリカ第一です!）」

２０１７年、トランプは大統領就任演説で高らかに宣言した。冷戦終了以降、アメリカは世界のリーダーだったわけだが、それをやめるといったのだ。

「小池百合子さんはこの言葉を取り入れて知事になりましたね。けれども、トランプ前大統領がどのような意味で『ファースト』と言ったのかを理解していないようです。トランプ前大統領の言葉は、アメリカ大統領は世界のことを考え、世界のリーダーとして動いていたけど、これからはアメリカのことだけを考えて動いていきます、という意味です」

その結果、混乱をきわめるシリアから撤退、そして国際的合意のもとに進んでいたパリ協定からも離脱してしまった。

「知事が都民をファーストに考えるのは当たり前のことですよね。もし知事が日本のことをファーストに考えていたけど、そうではなくて、これからは都民をファーストに考えます、というのなら、この言葉を使った意味もわかります。日本が外から言葉を借用する時には、たいていもとの意味とは異なって取り入れられてしまうものです」

ともあれ、アメリカはいち勢力に甘んじる決断をしたのである。これは大きく2つのことを意味した。1つ目は、アメリカに対抗する勢力が出てくるということだ。例えば、学級委員が「やめます。そしてただのクラスメイトになります」というのであれば、当然ながらクラスには何人かの学級委員候補が出てくるはずだ。それが中国やソ連、そしてＥＵである。

２つ目は、この決断は後戻りがきかないということだ。一度やめると言った人間が、やっぱりやります、というのはなかなか受け入れられるものではない。つまり、アメリカが再び世界のリーダーになることは難しいということだ。

「こうして、今、世界は複数の勢力が均衡する状態になっています。そして新たなリーダーとして覇を唱えようとしているのが中国ですね」

京子は２０２０年の問題（第４章）を思い出した。それが「中国の夢」であろうか……。

京子は、自分の解答の裏にある歴史の重みと、現在の問題の難しさを十分に感じた。宮下の解説が終わると、配られた原稿用紙に文章を書き始めた。

解答

中国では、文化大革命終了後に鄧小平が実権を掌握、「４つの現代化」をスローガンに改革開放政策を推進して経済発展に成功した。80年代末には政治の民主化を求める天安門事件が起きたが、徹底した弾圧によって社会主義市場経済を確立した。

韓国は70年代に高い経済成長を実現してアジアニーズに数えられるようになった。朴正煕大統領暗殺後は、政治の民主化を求める光州事件が勃発したが、全斗煥が鎮圧して独裁政権が樹立。しかし、80年代末に盧泰愚政権が誕生すると民主化が実現した。中東のイランは、革命によりイラン＝イスラーム共和国が誕生して宗教国家となった。イラン革命に乗じて、イラクのサダム＝フセインがイラン・イラク戦争を引き起こすと、アメリカはイラクに軍事援助を行った。結果、イラクは軍事大国に成長、フセインの独裁体制も維持された。両国の民主化は実現しなかった。パレスチナではエジプト・イスラエル平和条約によって国交正常化とシナイ半島の返還が約束されたが、アラブ諸国やＰＬＯが猛反発、エジプトのサダト大統領は暗殺され、代わってムバラクが就任して独裁を継続した。中米のグレナダには反米政権が樹立されたが、アメリカのレーガン政権が「強いアメリカ」というスローガンのもとで介入して崩壊した。南米のアルゼンチンも、フォークランド紛争を引き起こしたがサッチャー首相が強硬にアルゼンチン軍を撃退、軍事政権は崩壊して民主化されるに至った。（５９９字）

第15章　女性の闘い

性差をめぐる問題

宮下は問題を配る前に言った。

「日本の女性の社会的地位は残念ながら、低い、とされています」

ほんの7～8年前であれば、こう言うと女子生徒はポカンとした表情をしていたものだ。

しかし、今では頷く生徒のほうが多い。それだけ若者の意識は変わってきているのだ。

「世界経済フォーラムが発表する『ジェンダー・ギャップ指数』において、２０２０年の日本は１５３カ国中１２１位です。これはＧ７のなかでは最下位にあたります」

既に述べた通り東大の問題は現在の情勢を直接に反映させた問題を出題することもある。２０１５年にジャーナリストの伊藤詩織さんがレイプ被害を告発し、日本でもＭｅ ｔｏｏの運動が見られた。世界でも日本でも、性差に関する意識は大きく変わりつつある。そうした情勢を反映した問題であろう。

「では、構成メモを完成させましょう。その後に少し解説をしましょうか」

宮下は問題を配り始めた。これが最後の問題である。

問題（２０１８年）

　近現代の社会が直面した大きな課題は、性別による差異や差別をどうとらえるかであった。18世紀以降、欧米を中心に啓蒙思想が広がり、国民主権を基礎とする国家の形成が求められたが、女性は参政権を付与されず、政治から排除された。学問や芸術、社会活動など、女性が社会で活躍する事例も多かったが、家庭内や賃労働の現場では、性別による差別は存在し、強まることもあった。

　このような状況の中で、19世紀を通じて高まりをみせたのが、女性参政権獲得運動である。男性の普通選挙要求とも並行して進められたこの運動が成果をあげたのは、19世紀末以降であった。国や地域によって時期は異なっていたが、ニュージーランドやオーストラリアでは19世紀末から20世紀初頭に、フランスや日本では第二次世界大戦末期以降に女性参政権が認められた。とはいえ、参政権獲得によって、女性の権利や地位の平等が実現したわけではなかった。その後、20世紀後半には根強い社会的差別や抑圧からの解放を目指す運動が繰り広げられていくことになる。
以上のことを踏まえ、19～20世紀の男性中心の社会の中で活躍した女性の活動について、また女性参政権獲得の歩みや女性解放運動について、具体的に記述しなさい。解答は、解答欄（イ）に20行以内で記述し、必ず次の8つの語句を一度は用いて、その語句に下線を付しなさい。

キュリー（マリー）　産業革命　女性差別撤廃条約（1979）　人権宣言
総力戦　第4次選挙法改正（1918）　ナイティンゲール　フェミニズム

※文中の傍線は筆者の判断で重要と思われるところに付した。なお、1行は30字。

19世紀に活躍した女性たち

（この問題は絶対に正解したい！）
問題文を読み終えると京子は、集中力を高めるようにひと呼吸置いた。

１７８９年に始まるフランス革命では人権宣言が発表されて、人間の自由・平等が宣言された。しかしながら、男性と女性の間の平等も規定されたかというとそうではなかった。家庭の長は父親たる男性であり、女性は従属させられていたのである。それは、革命の申し子とされた英雄ナポレオンが１８０４年に制定したフランス民法典（ナポレオン法典）でも強調されていた。ここから、女性の長い長い闘いが始まった。18世紀後半にイギリスで産業革命が起こり、19世紀の前半にヨーロッパに波及していくと、女性は家庭の外へと進出を始めた。家内制手工業であったのが工場制機械工業へと転換したためである。機械であれば、当時は技術を身につけられていなかった女性でもできることが多い。労働の現場では男女の賃金格差が存在していたが、こうして家内から工場へと、外に出る機会が増えたことで、19世紀には女性の活躍が目立ち始めるようになった。

（さて、具体例として誰を挙げたらいいだろう……）

具体例について誰を選ぶか。挙げたい女性の名前が京子の頭にはたくさん浮かんでいた。問題文を見ると、第1段落の3行目に「学問や芸術、社会活動など」と書いてある。つまり、3つの分野で具体例を挙げろということだ。指定語句を考慮すると、ノーベル賞を受賞したキュリー（マリー、図表15-1A）は学問の具体例とするはずだ。クリミア戦争で看護師として活躍したナイティンゲール（図表15‐1B）は、おそらく社会活動の具体例として使うのだろう。

19世紀の半ば、フランス革命戦争以来の大規模な国際戦争であるクリミア戦争が勃発すると、ナイティンゲールは傷病兵の看病をする看護師として活躍した。

（ナイティンゲールは、まず女性が得意であろうとされている分野で社会への道を切り開いたんだ。けれどもナイティンゲールは「ランプの貴婦人」とか「クリミアの天使」と呼ばれることを好まなかった。今では彼女は統計学者の先駆とされている、徹底したリアリストだ。この頃から女性は偏見と闘っていたんだ！）

思わずペンを握る力が強くなる。京子は逸《はや》る心を抑えて、次は意識をキュリー（マリー）に向けた。

ナイティンゲールが名声を得た頃、今度はポーランドでマリー・キュリーが誕生した。彼女は女性として初のノーベル賞受賞者であり、生涯で物理学賞と化学賞の2つを受賞。ラジウムとポロニウムを発見して原子物理学の基礎を築いた人物である。

（じゃあ、芸術はどうしよう）

指定語句には芸術に関する女性の名前だけはなかった。

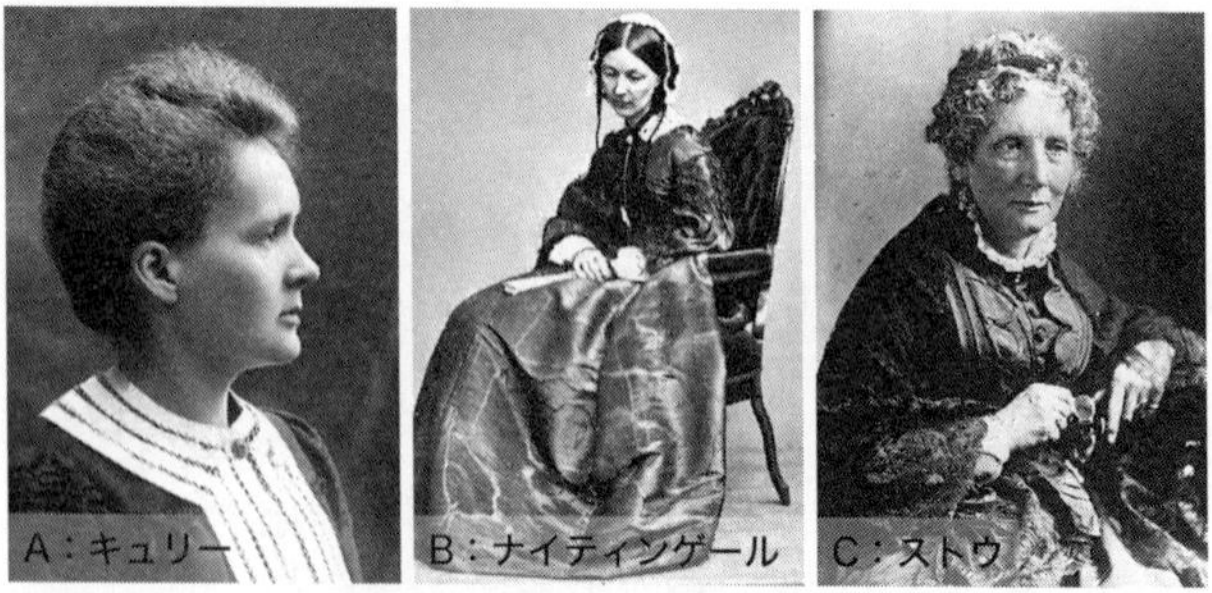

図表15-1　19世紀に活躍した女性たち

芸術といえば、絵画、彫刻、文学、音楽などが思いつく。ここだけ指定語句がないのだから自由に発想していいはずだ。すぐに浮かんできたのは、小説『アンクル・トムの小屋』で有名な作家のストウ（図表15‐1C）だった。おそらく、教科書的に求められているのはストウであろう。この作品は奴隷の少年についての小説で、奴隷制度の可否で揺れていた19世紀半ばのアメリカを南北戦争に導いたとされている。なお、ひと昔前であれば教科書には「キュリー夫人」とか「ストウ夫人」と表記されていたが、最近ではジェンダーの観点から「夫人」は表記しない。

（でも、おもしろくないな……）

京子は中指で机をトントンと叩いた。せっかく自由が与えられているのなら、自分なりの例を出したいと思ったのである。だが試験は点数をとることが目的だ。ここではこだわりをいったん隅において、全体像が見えた後に考えることにした。

否定され始める男性中心の価値観

さて、こうした女性たちの活躍ののち、20世紀に転機が訪れた。第1次世界大戦である（1914～1918年）。何度も確認したように、大戦はそれまでの戦争とは一線を画すものとなった。それまで、戦争というのは個々の戦場での戦力のぶつかりあいで勝敗が決まった。つまり、作戦の優劣や兵力の大小で決まったのである。しかしながら、大戦で機関銃が登場すると、塹壕戦が始まり、銃後から前線への補給が趨勢を決める総力戦になった。経済力、特に工業力での勝負ということだ。勝負の行方を戦場の男性が決めるのではなく、銃後の女性たちが勝負の鍵を握るように、つまり、女性も国防に関わるようになったのである。こうして普段は男性がやっていた仕事、あるいは男性にしかできないとされていた仕事を女性がやるようになり、結果、第1次世界大戦後に女性参政権が認められたのである。イギリスでは1918年、アメリカでは1920年に実現した。日本では、平塚らいてう（図表15-2）や市川房枝らの努力によって、第2次世界大戦が終了した1945年に実現した。

第2次世界大戦後になると、男性中心の価値観が否定され、主体的に女性が生きるための

図表15-2　平塚らいてう

社会的、文化的、制度的な変革を求めるフェミニズムの運動が広範な分野で展開された。１９７９年には、女性差別撤廃条約が締結され、国際的に男女平等社会が求められるようになった。

ここまできて、京子の脳裏には最近の日本で報道されるＭｅ ｔｏｏの運動やＬＧＢＴについても想像が及んだ。だが、問題文には『19～20世紀』とあるので、現在の日本での話題は避けることにした。

（ふう……）

解答の大まかな流れを掴むと、改めて京子は当時活躍した女性を思い浮かべていた。あとどれだけの例が出せるだろうか。できるだけ「お、これは……」と思わせるような「オシャレ」な答案にしてやりたい。下書きには、ナイティンゲール（社会活動）、マリー・キュリー（学問）、ストウ（芸術）の名が並んでいる。あと1人くらいだろうか。まず、京子は学校で習った女性の名を思い浮かべた。

・ローザ・ルクセンブルク（政治家・社会活動家）
・マーガレット・サッチャー（政治家）
・インディラ・ガンディー（政治家）
・シリマヴォ・バンダラナイケ（政治家）
・エレン・ジョンソン・サーリーフ（政治家）

サッチャーなどの政治家は悪くないと思った。既出の3人の女性とは分野が異なるので、活躍の内容に多様性が生まれる。続いて、教科書には掲載されていないが、これまでの人生で知っている限りの憧れの女性を思い浮かべた。

・ヘレン・ケラー（社会福祉事業家・著述家）
・オードリー・ヘップバーン（俳優、図表15‐3A）
・ココ・シャネル（デザイナー、図表15‐3B）

ココ・シャネルは女性の自立を促すファッションを打ち出した人物だ。これは答案のストーリーとしても内容としても「オシャレ」だ。

（よし、なんとかこの中から２人は盛り込もう）

京子は挙げる人物を決めて構成メモ（図表15－４）を完成させていった。

身体のとらえかた、自然のとらえかた

生徒の構成メモの進み具合を確認すると、宮下はおもむろに問題と現代の結びつきについて話し始めた。

「これはいい問題ですね。翌年、東大の入学式で上野千鶴子さんが行ったスピーチが話題を呼んだことを覚えている人もいるでしょう」

京子はTwitterで知り、ニュースを調べた覚えがある。

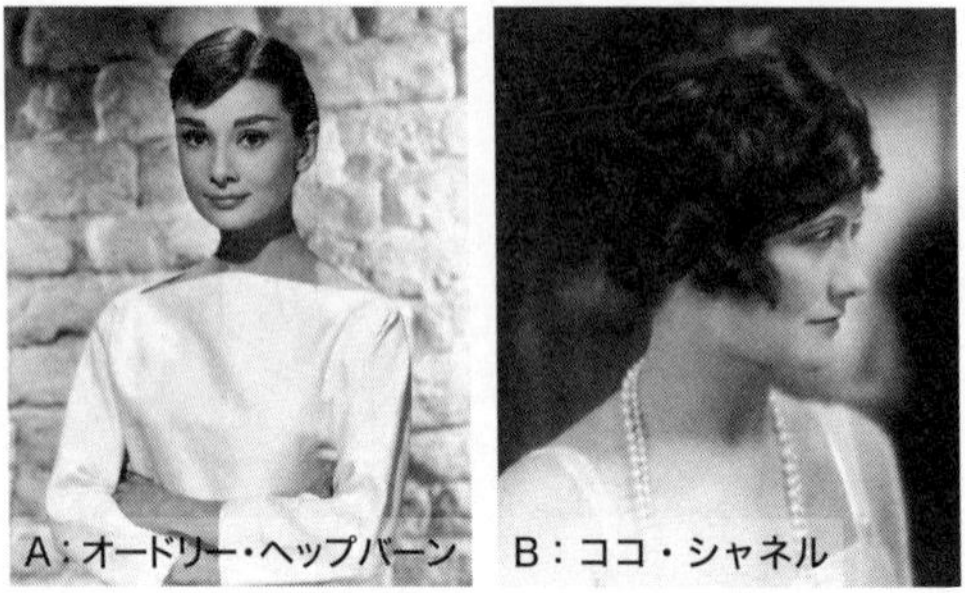

図表15-3　20世紀に活躍した女性たち

最近の生徒の情報源はもっぱらSNSが多い。Twitterは、最前線で活躍する人々が個人の見解を述べていたりもするので、実は最も濃い情報を得る手段ともいえ、侮ってはいけない。

「あるいはジャーナリストの伊藤詩織さんのニュースも見たことがあるのではないでしょう

図表15-4　19〜20世紀に活躍した女性たち（京子の構成メモ）

活躍する女性たち		
19世紀		産業革命 ・女性は家庭の外への進出を開始 ・しかし、男女格差が存在、女性の低賃金労働も問題に ナイティンゲールの活躍 ・クリミア戦争で看護師として活躍 ストウによる「アンクル・トムの小屋」 ・奴隷制度に関する世論を動かし、南北戦争につながる
20世紀	前半	キュリーの活躍 ・ラジウムとポロニウムを発見して原子物理学の基礎を築く ・女性で初のノーベル賞受賞者となる 第1次世界大戦の総力戦 ・銃後の労働力不足から女性も動員され社会進出の転機となる 女性参政権の実現（イギリス・アメリカ） ・ロイド・ジョージ挙国一致内閣のもと第4次選挙法改正 ・ウィルソン大統領のもと実現 ココ・シャネルの活躍 ・女性の自立を促すファッションを提案
	後半	世界人権宣言 ・女性の権利についても謳われ、国際的な認識として共有される フェミニズム ・男性中心の価値観が批判され、女性が主体的に生きるための社会的、文化的、制度的変革が目指されるようになった 女性差別撤廃条約が国連総会で締結 ・国際的な男女平等社会の実現が求められるようになった

か？」

　生徒たちの表情が曇る。

「なんでこんなことになるんでしょう。様々な要因がありますが、私の専門は美術の分野なので、歴史の文化的側面からアプローチしてみましょう」

　宮下はヨーロッパの文化史について、集中的に講義をしてきた。歴史は、政治、経済、社会、文化と、様々なものを含む。言ってしまえば全ては歴史である。だから、教師や講師によっては政治の観点から、あるいは経済の観点から、歴史を掘り下げる人もいるだろう。偏向といえばその通りなのだが、それはいたしかたないことであり、かつ分野に偏向があっても、そこに歴史の本質が必ずあるはずだ。

「例えば、ギリシア芸術は彫刻が中心でしたね。古代ギリシアの人々は『人体』を美の規範として、彫刻に表現していきました。そして古代ギリシア文化はヨーロッパ文化の根底を支えることになりました。西洋には『人間の体は美しい』という価値観が基盤にあります。しかしながら、日本はそうではありません。日本は『人間の体は隠すべきもの』という価値観が基盤にあるように思います」

　確かに、「スカートが短い」とか「ブラウスが透ける」とか、よく母親から注意されることを京子は思い出すとともに、欧米の価値観と衝突するムスリム女性たちのチャドル（身体を覆い隠す衣服）にも想像が及んだ。欧米の女性は、身体に関しては開放的な印象があった。

「もう1つ、19世紀末の西洋絵画について説明した際に、『人為』と『無為』という価値観について話したと思います。『人為』、言い換えれば人工に価値を置くのか、『無為』、言い換えれば自然に価値を置くのか、という二元論ですね」

「人為」とは人の為すこと、つまりは政治や経済の分野である。これは悪くいえば、権力とカネを求める立場だ。だが、「無為」の立場はそういったことを虚飾として退け、そういったことから解放されること、「自然」のなかの生物としてのありのままの姿にこそ自由がある、とする。要するに、人間としての可能性を追求するのではなく、生物としての自然性を追求することにこそ価値があるという立場だ。

「日本は経済に価値を置く傾向があるように思います。つまり『人為』か『無為』でいえば前者ですね。特に生産すること、生活に役立つこと、キャリアを積むことに重きを置くところがあります」

　教室は考えさせられる空気に支配される。

「この『身体』と『自然』が、女性について考える出発点であるように思います」

図表15-5　ドラクロワ『民衆を導く自由の女神』

生徒たちは宮下の言葉を待っている。どういうことだろうか。

民衆を導く〝自由〟の女神

男性と女性の一番の違いは、端的に身体にあるだろう。女性の身体は生命を宿すことができるが、男性の身体はできない。自然のなかの生物としての本質、何にも侵されないありのままの本質というのは女性の身体にあるのだ。つまり、女性の「身体」は「自然」という立場からすると、男性にはない「自由」を備えていると見ることもできる。

「だから、『民衆を導く自由の女神』(図表15-5)なんですね」

けれども、現在の日本は女性の身体に対するリスペクトに欠け、自然に価値を見出すことに重きを置かないところがある。むしろ人為の分野たる経済に価値を置き、生産することに充足を感じるところがある。ゆえに、人為に極端に価値を置く人間が女性を評価すると、どこその政治家のように「子供は最低3人産んで」といった、経済効果を期待したまるで生産する機械のような表現をすることにもなってしまう。自然に価値を置く人間からすれば、自由を虚飾によって汚す発言であり許しがたい、ということになるわけだ。だがこの論は土台であって、既に世界は次の段階へと進んでいる。

女性が生きる動的な混淆

「とはいえ、女性が女性の身体として生まれたからといって自然という価値観で生きなければならないわけではありませんよ。女性だから結婚や出産をしなければいけないというわけではありません。先ほどの、自然に価値を置くというのも1つの価値観にすぎません。人為に価値を置いてもよいのです。人為の世界、すなわち政治や経済の分野で活躍しても、何ら問題はありません。そうでしょう？　ただし、日本社会の風潮として、女性の身体にリスペクトを持たず、そのくせ、人為の世界で活躍しようとすると結婚して出産しろと言われる。そうなったら日本の女性は八方ふさがりになってしまいます」

京子には難しかったが、思うところはあった。

「次のような文章がジェンダー史の書籍にありました」

宮下は『思想と文化（ジェンダー史叢書 第3巻）』の一節を読み上げた。

「いまフェミニズムが直面している事柄は、私たち一人ひとりが、女と名指される―女としての自然や身体性を強調され、そこに縛られた存在であることを強要される―ことを否定しようとすることと、他方で、女として自ら名乗り出る―身体性の要請を引き受け、女としての自然の可能性を追求する―ことの間の『動的な混淆』を生きている、という事実である」

生徒たちは宮下が読み上げる文章に聞き入っていた。結局は、あなたにとって自由とは何か、ということであり、その選択もまた、自由なのである。

「難しいかもしれませんが、こういったところから、現在では身体から人格や嗜好を断定してはならない、ということが定着しつつあります。LGBTの問題、さらには人種差別の問題の本質はこの身体と精神の関係にあるのです」

京子はTwitterでフォローしている井《い》手《で》上《がみ》漠《ばく》さんのことを思い出していた。「性別ないです」と発信しながら生きる1つ年上の人だ。

東大の問題は「歴史は、現在の『なぜ?』に答えるものである」ということを教えてくれる。出題される問題は現在を考えるうえで迫ってくるものがある。京子は、こうした大学に挑戦できることを誇りに思った。そして、ひと呼吸おいて、配られた原稿用紙に解答をまとめた。

解答

19世紀に産業革命が波及すると、女性の家庭の外への進出が始まった。現場では男女格差が強く存在して、女性の低賃金労働が問題となったが、以降、女性の活躍が目立ち始めた。ナイティンゲールはクリミア戦争で看護師として活躍、作家のストウが発表した『アンクル・トムの小屋』は奴隷制度に関する世論を動かして南北戦争を引き起こすに至った。あるいは、キュリー（マリー）がラジウムとポロニウムを発見して原子物理学の基礎を築くと、女性初のノーベル賞受賞者となった。20世紀初頭、第1次世界大戦で総力戦が展開されると、銃後の労働力不足から女性も動員され、社会進出の大きな転機となった。戦後、女性は正当な権利を要求し、女性参政権が認められていった。イギリスではロイド・ジョージ挙国一致内閣のもと第4次選挙法改正（1918）によって認められ、アメリカでもウィルソン大統領のもとで認められた。こうして社会的にも政治的にも自立し始めた女性に対し、自立を促すファッションを世に提案したのがココ・シャネルであった。第2次世界大戦後には世界人権宣言が発せられ、女性の権利は国際的な認識として共有された。80年代にはイギリス初の女性首相サッチャーが活躍を見せた。やがて、男性中心の社会、制度、偏見に対して変革を求めるフェミニズムの運動が起きると、国連でも女性差別撤廃条約（1979）が締結され、国際的な男女平等社会の実現が求められるようになった。（600字）

おわりに

いかがだっただろうか。東大の問題のすごさ、あるいは東大の問題を解ききる京子と純也のすごさをお楽しみいただけたなら幸いである。そして、注意深く読んでいただいた方は、世界の歴史や現在の情勢についても一定の理解を得ていただけたのではないかと思う。

最後に、教育の現在について、現場からの報告としてお伝えすることで結びとさせていただく。

はじめに述べた通り、私は歴史を専門とする大学受験塾を運営している。多くが都内の名門私立高校に通う学生たちである。彼らを見ていると、私が受験を経験した２００２年からは様々なものが変わっていることに気づかされる。大きく3つ、紹介しようと思う。

1つ目は、「世界」に対する経験の多さや意識の強さである。塾の在籍生のなかには、帰国子女がたくさんいる。高校の間に留学した経験がある生徒もいる。授業前に英語が飛び交っていたりもする。そして、そういう経験をしていない生徒でも、多くが受験ののちに留学を夢見ている。そうなってくると、生徒が「世界史」に期待するものも大きく変わる。10年前は、わかりやすく、おもしろく、歴史の物語を展開していれば、それで講師としての評価は上がってくれたのだが、今はそれでは飽き足らない。今の高校生は、海外の経験、それも旅行だけではなく、留学の経験、外国の生の人間との体験、イタリア人とこういう会話をしたとか、フランス人との食事で日本との文化の違いに驚いたとか、そういった話を求めてくるのである。学生たちに多くの扉を開かせてやるならば、大人も大きく変わっていかなければならないといえよう。

2つ目は、「現在」に対する意識の強さである。これは情報が手に入り易くなったことが要因であろう。歴史という過去の話をしても、生徒は「で、それがなんなの?」という表情をする。それが現在の何につながっているのか、それが現在の何に役立つのか、というものがないと彼らは満足しなくなってきているのである。

3つ目は、「発信」に対する意識の強さである。これは「実践」に対する意識と言い換えてもよい。若者というのは、ある意味で時代の最前線にいる者たちといえる。彼らは、時代の変化をいち早く吸収していて、従来のように知識を詰め込むだけの勉強を拒否し始めている。知識をもとに考え、悩み、自ら結論を出し、実践していくことに価値を見出し始めているのである。無論、安易にアウトプットにのみ価値があると思い込むことは危険であるが(実際にそのような傾向がある)、世界と対峙した際に、知識だけでは通用しないことを理解しているのである。

さらに、ここに技術革新という変化も加わってきている。プログラミングや統計、そして何より、オンライン授業の拡充など、これまでとは異なる教育内容、異なる授業形式を経験してきているのである。こうした変化は、教育の内容や教育の形態そのものまでも大きく変わらなければいけないことを意味する。

もちろん、これらを踏まえて教育改革、入試改革が掲げられているのだろう。だが、東大の問題を見てきた皆様ならおわかりいただけるはずだ。少なくとも東大世界史の問題は、歴史という過去をもとに、『海外』を志向する、『現在』を志向する、そして『発信』して表現する、そういった3つの要素がなければそもそも解くことができない。断っておくが、東大を手放しに称賛するつもりはない。むしろ、こういった良質な問題を解ききるような優秀な学生を集める東大こそ、変わらなければいけないのかもしれない。

日本の未来は若者が担っている。私たち大人は、若者がどうしたら才能を発揮させることができるかを考えなければならない。本書に触れることで、日本のあるべき教育者の姿、あるべき教育の姿についても、一人一人が考え、未来ある若者を輝かせることに、ひいては未来の日本をより良いものにすることにつながっていけば、この上ない喜びである。

最後に、出版の機会と助言をいただいた編集者の古川さんと河合さんにお礼を申し上げるとともに、多くを学ばせてくれる在籍生と卒業生に感謝をしたい。

福村国春（ふくむらくにはる）
1983年生まれ。慶應義塾大学文学部人文社会学科卒業。東洋史学専攻。のちにもう一度、同学部に編入し、美学美術史学を専攻。専門は世紀末芸術。在学中から世界史の講師として教鞭をとり、卒業後は都内に歴史専門の大学受験塾「史塾」を設立。私立高校の学生を中心に指導を行っている。また、執筆や企業での講演活動も行っており、著書に『歴史の見方がわかる世界史入門』『中国の見方がわかる中国史入門』（以上、ベレ出版）がある。

夢中《むちゅう》になる東大世界史《とうだいせかいし》
15の良問《りょうもん》に学《まな》ぶ世界《せかい》の成《な》り立《た》ち

2021年6月30日初版1刷発行

著　者 ── 福村国春
発行者 ── 田邉浩司
装　幀 ── アラン・チャン
印刷所 ── 萩原印刷
製本所 ── 国宝社
発行所 ── 株式会社光文社
東京都文京区音羽1-16-6（〒112-8011）
https://www.kobunsha.com/
電　話 ── 編集部03（5395）8289　書籍販売部03（5395）8116
業務部03（5395）8125
メール ── sinsyo@kobunsha.com

 ISBN 978-4-334-04546-3

光文社新書

1137
ジェンダーで見るヒットドラマ
韓国、アメリカ、欧州、日本
治部れんげ

「愛の不時着」はなぜヒットした？・「半沢直樹」がウケる日本はヤバイ!?　ジェンダー視点でドラマを見れば世界のいまも見えてくる。業界随一のジャーナリストによる新ドラマ論。

978-4-334-04545-6

1138
夢中になる　**東大世界史**
15の良問に学ぶ世界の成り立ち
福村国春

約40年分の過去問から、選りすぐりの15問で振り返る国際社会の歩み――。暗記しただけでは解けない、歴史の本質を突く問題を紐解けば、覚えただけの歴史が教養に変わる！

978-4-334-04546-3

1139
ディズニーとチャップリン
エンタメビジネスを生んだ巨人
大野裕之

ディズニーは、キャラクターの創作とストーリーの大切さ、権利の保持や配給会社との条件交渉などをチャップリンから学んだ。――固い友情と離別、知られざる二人の師弟関係。

978-4-334-04547-0

1140
スポーツとしての相撲論
力士の体重はなぜ30キロ増えたのか
西尾克洋

「決まり手」「体格」「怪我」「指導」「学歴」「国際化」「人気低迷」。７つのキーワードから見えてくる、伝統と進化のはざまで揺れ動く大相撲の現在。幕内全力士の解説付き！

978-4-334-04548-7

1141
糖尿病の真実
なぜ患者は増え続けるのか
水野雅登

「インスリンは一生のお付き合い」「糖尿病は不治の病」は本当なのか。脱インスリン率１００％の実績を持つ著者が、実際の治療例を紹介しつつ、現在の糖尿病治療の実情と問題点を解説。

978-4-334-04549-4